STEEL BROTHERS

LIVRE 3

# POSSESSION

# HELEN HARDT

# STEEL BROTHERS

## LIVRE 3

# POSSESSION

Traduit de l'anglais (États-Unis) par
Paule Duverger et Laurence Murphy – WeTranslate4You

ÉDITIONS
MEREDITH

Titre original : *Possession (Steel Brothers Saga Book Three)*
Éditeur original : Waterhouse Press, LLC

© 2016 Waterhouse Press, LLC

© 2020 Éditions Meredith
Pour la traduction française

ISBN : 978-1-64263-280-4

*Pour mes deux incroyables fils, si beaux et talentueux,*

*Eric et Grant.*

*Puissiez-vous être heureux à tous les instants de votre vie.*

# *Avertissement*

Ce livre contient des scènes et un langage crus, incluant des réminiscences d'agressions physiques et sexuelles perpétrées sur des enfants, susceptibles de choquer. Cette histoire est destinée aux adultes et aux publics définis par les lois du pays dans lequel vous l'avez acheté. Conservez vos livres et vos e-books hors de portée des jeunes lecteurs.

# Chapitre 1

## JADE

— Qu'est-ce que vous venez de dire ?

La colère assombrissait sa voix.

Relevant la tête, je plongeai mon regard dans ses yeux bleus féroces.

— Que je voulais en savoir plus long sur Daphne Steel.

— Vous êtes sûre que vous n'avez rien dit d'autre ?

Mon cœur cognait violemment contre mes côtes. Pouvait-il sentir ma nervosité ? Alors que je le dévisageais – son regard bleu glacial, le pli dur de sa bouche, son crâne dégarni, la colère suintant par tous les pores de sa peau –, je le vis pour ce qu'il était.

Larry Wade était un sociopathe. Et je redoutais d'avoir franchi une ligne rouge.

Je déglutis et hochai la tête. Je m'en voulais d'avoir peur de cet individu, amoral et ignoble. Mais il s'était approché presque au point de me toucher. Il irradiait une colère froide, congelant l'atmosphère. David et Michelle avaient beau se trouver juste de l'autre côté de la porte, je n'osais pas poursuivre cet interrogatoire sur ses liens familiaux avec Daphne Steel. Il m'aurait fallu un courage dont je manquais à cet instant. Je préférai donc faire profil bas et réitérer ma question sans la référence familiale, en la reliant au mystérieux retrait de cinq millions de dollars.

— Oui, j'aimerais en savoir davantage sur Daphne Steel. Je pense que cela permettrait de faire avancer l'enquête.

— J'avais cru entendre autre chose.

Je me raclai la gorge.

— Non, vous avez dû mal comprendre.

Il arqua un sourcil. Dieu, qu'il avait l'air inquiétant ! Pendant quelques secondes, je crus qu'il allait s'en tenir là, mais il finit par reprendre la parole.

— Daphne Steel est morte il y a presque vingt-cinq ans.

Je me mordillai la lèvre inférieure.

— Ça, je le sais. C'est aussi à la même époque que la somme de cinq millions de dollars a été transférée depuis l'un des comptes des Steel vers celui d'un destinataire inconnu.

Larry recula lentement et ma panique baissa d'un cran. Si besoin, je pourrais toujours sauter par-dessus mon bureau pour gagner la porte. Mais avec ma jupe crayon et mes talons aiguilles, ça relèverait de l'exploit.

— Intéressant, dit Larry. Je n'avais pas envisagé les choses sous cet angle.

Je ne le crus pas une seconde. J'enquêtais sur les Steel aux frais de la ville, mais c'était clairement pour lui une affaire personnelle, même s'il avait affirmé que c'étaient « des gens bien » lors de notre première rencontre. Pourquoi quelqu'un voudrait-il dissimuler que Daphne Steel et Larry Wade étaient demi-frère et sœur ? Bien entendu, je pouvais tout à fait comprendre la réticence des Steel à lui être associés. Ce type était une véritable ordure. Il n'avait aucune déontologie et sa froideur me donnait la chair de poule.

— Vous m'avez demandé de chercher tout ce qui me semblait anormal. Je pense que c'est le cas.

Il opina.

— C'est vrai que c'est étrange. Avez-vous découvert l'identité du bénéficiaire de ce virement ?

Je secouai la tête.

À vrai dire, je n'avais pas eu l'occasion de poursuivre mes investigations. J'avais été trop occupée par ce lien familial entre Larry et Daphne ainsi que par les efforts déployés pour occulter l'héroïsme de Tallon.

— Cette personne n'a pas laissé de traces. Je n'ai rien trouvé du tout.

Je doutais cependant que cette opération ait quelque chose à voir avec Daphne Steel. Je soupçonnais plutôt qu'elle était liée à ce que Wendy Madigan refusait de me révéler au sujet de ce qui était arrivé vingt-cinq ans plus tôt.

— Franchement, reprit Larry, je laisserais tomber Daphne Steel, à votre place. D'après ce que je sais d'elle, c'était une femme très tourmentée. Enquêter sur les morts ne débouchera sur aucune information pertinente.

Pas pour lui, peut-être. En outre, je ne savais rien des motivations qui le poussaient à enquêter sur les Steel, autres que l'éventualité de leur implication dans le crime organisé et le blanchiment d'argent. Ce à quoi je ne croyais pas du tout. Cependant, je ne savais pas grand-chose à propos du père de Tallon. Il était fort possible qu'il faille partir de Bradford. Manifestement, en tout cas, Larry ne voulait pas que je mette en lumière quoi que ce soit d'autre concernant Daphne.

Je continuerais à faire son sale boulot parce que cela me permettait aussi d'aider Tallon, Marj et leurs frères. Mais j'allais me mettre en quête d'un autre emploi. Pas question de travailler pour ce salopard un jour de plus que nécessaire.

Je ne me sentais plus en sécurité.

— Bien sûr, si c'est ce que vous souhaitez. Je ne remuerai pas davantage le passé de Daphne. Profitez bien de votre après-midi avec vos petits-enfants.

J'espérais bien qu'il prendrait ça pour une invitation à s'en aller. Mais il vrilla sur moi son regard glacial sans ciller. Sans cligner une seule fois les yeux. Je feignis de me replonger dans mon travail.

— Jade ? finit-il par dire.

Levant la tête, je croisai son regard.

— Oui ?

J'avais l'impression que des serpents invisibles rampaient sur ma peau. Cette proximité avec Larry me révulsait. Quelque chose en lui me mettait mal à l'aise, et cela n'avait rien à voir avec son orteil manquant. Et si mon intuition ne me trompait pas, cela dépassait aussi sa manière de tordre l'éthique judiciaire.

Il incurva ses lèvres en un demi-sourire torve.

— Passez un bon week-end.

Sur ces mots, il tourna les talons et quitta la pièce à pas lents.

Vingt bonnes minutes s'écoulèrent avant que je me sente suffisamment rassurée pour me lever et quitter le bureau.

# Chapitre 2

## Tallon

Le docteur Carmichael demeura silencieuse pendant quelques instants.

— Je vois, dit-elle enfin. Vous n'exagériez pas quand vous disiez avoir vécu un traumatisme.

Je m'éclaircis la voix.

— Non, en effet.

— Je n'en doutais pas. Je pensais bien qu'il s'agissait de ce genre de chose. Pouvez-vous m'en dire davantage ?

Étrangement, maintenant que j'avais prononcé le mot, celui que j'avais si longtemps occulté au plus profond de mon esprit, j'étais prêt à parler. Je voulais lui raconter tout ce qui était arrivé. Et je voulais qu'elle m'aide. J'avais les nerfs à vif, mon pouls battait dans mes tempes, mais j'avais envie – *besoin* – de continuer.

— Je crois que oui.

— Très bien, je vous écoute.

— Ils m'ont séquestré pendant plus d'un mois. Près de deux, même si je ne l'ai appris que plus tard. Les jours et les nuits se confondaient, et quand j'ai quitté cette cave, je n'aurais pas su dire combien de temps j'y étais resté, ni quel jour on était.

— Ainsi, ils étaient trois ?

Je fis oui de la tête.

— Je ne me souviens pas de grand-chose à leur sujet. Le meneur avait un phénix tatoué sur l'avant-bras gauche et les yeux brun foncé. Ce détail m'est revenu récemment, pendant notre séance d'hypnose.

— C'est lui qui semble être la cible principale de votre colère.

— Je ne porte aucun d'eux dans mon cœur, vous pouvez me croire.

— Alors, pourquoi vous concentrer sur lui ? C'est lui que vous rêvez de tuer.

Pourquoi lui ? Je les haïssais tous les trois du plus profond de mon âme, mais le type au phénix, cet oiseau légendaire qui avait pris un sens tellement paradoxal dans ma vie, je l'abhorrais totalement.

Jusqu'à présent, j'ignorais qu'il existait divers degrés de haine. Mais en effet : j'exécrais cet homme plus que tout.

— Comme je l'ai dit, c'était une sorte de chef. En tout cas, telle était mon impression. Et c'est lui qui avait la plus grosse…

Bon Dieu, est-ce que je voulais vraiment m'aventurer sur ce terrain ?

— La plus grosse quoi ?

Je déglutis. J'étais prêt à aller de l'avant, je ne voulais plus garder tout ça.

— La plus grosse queue. C'était lui qui me faisait le plus mal quand il passait le premier.

Le docteur Carmichael resta immobile sur son siège, les lèvres légèrement pincées.

— J'ai conscience que c'est un sujet très difficile pour vous, Tallon. Alors, n'hésitez pas à me dire si vous avez besoin de faire une pause. Vous êtes mon dernier patient de la journée et nous pouvons prolonger la séance, si vous le souhaitez.

Pourquoi pas ? Le verger pouvait attendre. Axel était un type bien, il s'occuperait de tout.

— Je ne sais pas combien de temps je vais pouvoir continuer, Doc, mais je peux essayer.

— Je comprends. Il vous suffira de me le dire si vous voulez arrêter.

— D'accord.

Le docteur Carmichael s'éclaircit la voix.

— Parlez-moi des deux autres.

Je fermai les yeux et déglutis.

— Ils ne m'ont jamais paru aussi réels que le type au tatouage. D'ailleurs, dans ma tête, je l'appelais Le Tatoué et l'un des deux autres, Voix Grave. Sa voix n'avait rien de spécial, en vérité, elle n'était sans doute pas plus grave que la mienne aujourd'hui. C'est peut-être simplement parce qu'il parlait plus fort, mais à l'époque, quand j'avais dix ans, j'avais l'impression que sa voix était grave.

— Je vois. Et le troisième ?

— Le troisième était souvent en retrait. C'est celui qui m'apportait toujours mes repas et vidait le seau dans lequel je faisais mes besoins.

— Voulez-vous dire qu'il ne participait pas ?

— Oh, si, il prenait son tour. Mais comparé aux deux autres, c'était davantage un suiveur, vous voyez ce que je veux dire ?

— Le fait qu'il vous apportait à manger, quel sentiment cela éveillait-il en vous ?

Pourquoi me parlait-elle de sentiments ? Je ne voyais pas du tout où elle voulait en venir.

— J'aurais dû éprouver une sorte d'affection pour lui parce qu'il me nourrissait, c'est ça ?

Elle secoua la tête.

— Non, bien sûr. Mais c'est tout de même *lui* qui s'en chargeait.

Je fermai les yeux et poussai un soupir.

— Il me donnait de la bouillie, Doc. La plupart du temps, même les porcs n'en auraient pas voulu. Mais je crevais de faim, alors je mangeais.

— Je vois.

Mais voyait-elle vraiment ? Depuis le début de la séance, son expression demeurait fermée. J'étais incapable de la déchiffrer. Mais je n'étais pas doué pour ça de toute façon.

— Je suis navrée que vous...

Je me levai brusquement.

— Son orteil.

— De quoi parlez-vous ?

— Il y a quelque temps, un détail m'est revenu au sujet du troisième type, celui qui m'apportait mes repas. Il lui manque le petit orteil du pied gauche.

— Vraiment ? Nous avons donc un homme avec un phénix tatoué sur... quel avant-bras, déjà ?

— Le gauche.

Je me rassis et me massai les tempes.

— D'accord. Donc l'un de ces hommes a un phénix tatoué sur l'avant-bras gauche et les yeux bruns. Un autre a la voix grave, selon vos souvenirs, et le troisième n'a pas de petit orteil au pied gauche, c'est bien ça ?

Je hochai la tête.

— Tallon, avez-vous jamais envisagé de retrouver ces hommes et de les traduire en justice ?

— Mes frères en ont parlé quelquefois. Mais Doc, je ne veux jamais les revoir. De toute façon, je ne les reconnaîtrais même pas si je les croisais dans la rue. Ils portaient toujours des cagoules. Et franchement, si on parvenait à les coincer, j'aimerais autant me faire justice moi-même.

— Je comprends tout à fait ce que vous ressentez, mais vous avez conscience qu'en vous rendant justice vous-même, vous risqueriez la prison à vie.

— Bien sûr, je ne suis pas stupide.

— Je ne sous-entendais pas que vous l'étiez. Mais je sais d'expérience que certaines personnes se retrouvent parfois dépassées par leur besoin de vengeance.

— Ça n'a pas vraiment d'importance, de toute manière. On ne les attrapera jamais. S'ils ont un minimum de jugeote, ils ont sûrement filé d'ici depuis longtemps.

— Oui, c'est probable.

— Mon frère aîné, Joe, voulait engager un détective pour les retrouver. J'ai toujours refusé.

— Pourquoi ?

— Parce que je ne veux pas déterrer cette histoire, voilà tout.

— N'est-ce pas ce que nous sommes en train de faire ?

— Si, mais c'est pour m'aider à guérir, non ?

— Vous avez parfaitement raison. L'objectif est que vous guérissiez, que ces hommes soient arrêtés ou non. C'est là que je voulais en venir.

Je poussai un soupir.

— Je ne crois pas qu'on ait la moindre chance de les retrouver un jour, Doc. Ils sévissaient dans la région il y a vingt-cinq ans, ils ont enlevé sept gamins et je suis le seul à en avoir réchappé.

— Êtes-vous sûr et certain que ce sont les mêmes hommes qui ont enlevé les autres enfants ?

Bonne question. C'est ce que j'avais toujours supposé.

— Je n'en sais rien, à part pour l'un d'entre eux.

— Votre ami, Luke.

Je confirmai d'un signe de tête.

— Vous disiez qu'on ne l'avait jamais retrouvé.

— C'est vrai. Mais je suis le dernier à l'avoir vu.

— Vivant ?

— Non.

Je secouai la tête, le cœur battant la chamade.

— Il était déjà mort.

— Tallon, il y a une chose que j'aimerais que vous compreniez.

— Laquelle ?

— Rien de tout ça n'est votre faute.

— Je le sais.

Mais le savais-je vraiment ? Toutes ces journées épouvantables, assis sur cette maudite couverture en loques dans cette maudite cave grise, je pensais que je ne valais rien puisque personne ne venait me chercher. Je ne voyais pas d'autre raison.

— Enfin, je *crois* que je le sais.

Elle hocha la tête.

— Ce que vous voulez dire, c'est qu'objectivement, vous le savez. En tant qu'adulte, vous avez conscience d'avoir été enlevé par hasard, et que cela aurait pu tomber sur n'importe quel autre petit garçon de la région. Vous ne méritiez pas plus ce qui vous est arrivé que tous ces autres enfants. Évidemment que vous le savez. Mais cette terreur reste ancrée en vous et votre vie en a été affectée jusqu'à aujourd'hui.

C'était exactement la putain de vérité.

— Donc vous avez beau en être conscient, prendre du recul vis-à-vis de cette situation et vous dire que ce n'était pas votre faute, cette pensée subsiste en vous et modifie votre perception de vous-même.

— Je suppose que c'est là que vous entrez en scène, Doc.

Elle sourit, les yeux embués de larmes.

— Ce ne sera sans doute pas facile, mais je vous promets une chose : je ne baisserai pas les bras, pas tant que vous ne serez pas sorti d'affaire.

— Doc ? Je vais bien.

Une larme roula sur sa joue.

— Je sais, et vous irez de mieux en mieux.

— Alors, pourquoi ces larmes ?

— Parce que c'est pour ça que je suis devenue psychiatre, Tallon. Pour connaître des jours comme aujourd'hui.

— Qu'est-ce que ce jour a de particulier ?

Elle sortit un mouchoir de la boîte sur sa table basse et s'essuya les yeux.

— Aujourd'hui, vous avez admis ce qui vous est arrivé. C'est la première étape du processus de guérison. Nous sommes loin d'en avoir fini et ce ne sera pas une partie de plaisir, mais je vous promets que le plus dur est derrière nous.

# Chapitre 3

Je ne voulais pas rester seule, mais je ne parvenais pas à me décider à prendre la voiture pour aller au ranch. On était vendredi et Marj était en ville pour son cours de cuisine. J'étais inquiète au sujet de Larry et aussi pour Colin qui avait disparu. J'avais indéniablement tourné la page avec Colin, mais je ne voulais pas qu'il lui arrive malheur. J'avais aimé cet homme et failli passer ma vie avec lui. Certes, il s'était avéré bien différent du garçon que je croyais connaître, mais je ne lui souhaitais aucun mal.

Où était-il ?

Tallon n'avait certainement rien à voir avec la disparition de Colin… mais je redoutais malgré tout cette possibilité.

Tallon et ses frères étaient des hommes bien, mais même le doux et calme Ryan avait perdu son sang-froid la dernière fois que leur chemin avait croisé celui de Colin.

Je mourais d'envie de voir Tallon. Serait-il chez lui ? Je n'en savais rien. Et d'ailleurs, aurait-il envie de me voir ?

La dernière fois que nous nous étions vus, il m'avait raconté qu'une chose inimaginable lui était arrivée. Il faisait certainement allusion à un événement survenu lorsqu'il était dans les Marines. Mais peut-être que…

Je lui avais affirmé que rien ne pourrait jamais changer mes sentiments à son égard. Et c'était la vérité absolue.

Je finis de préparer mon sandwich grillé au cheddar et à la tomate et me laissai lourdement tomber sur mon futon pour le manger en l'accompagnant d'un verre de vin rouge.

J'avais offert mon amour à Tallon. Je lui avais donné ma confiance. Je l'avais assuré que mes sentiments ne changeraient pas, quels que soient les secrets qui le hantaient.

Que pouvais-je faire de plus ?

C'était à lui de venir à moi.

Il était convaincu de ne pas être digne de moi. Pourquoi ? Je n'en avais pas la moindre idée. Que pouvait-il lui être arrivé d'assez horrible pour le pousser à vouloir mourir quand il était déployé en Irak ? Il me l'avait avoué. Il ne se considérait pas comme un héros, même s'il l'était pour les autres – du moins pour ceux qui connaissaient l'histoire. Mais Wendy Madigan avait parfaitement fait son travail pour la dissimuler aux yeux du monde.

Les six soldats qu'il avait sauvés ce jour-là, que pensaient-ils de lui ? Il était forcément un héros à leurs yeux. La semaine prochaine, si je trouvais le temps, j'essaierais de les localiser. Peut-être seraient-ils en mesure de m'éclairer sur ce qui était arrivé à Tallon.

Je finis mon sandwich et mon vin et emportai mon assiette dans la cuisine – ou plus précisément de l'autre côté de la pièce. Mon studio était minuscule, mais confortable. Je gagnais désormais correctement ma vie et j'aurais bientôt économisé une somme suffisante pour verser un acompte pour l'achat d'une voiture. Quand ce serait fait, je pourrais chercher un logement plus grand.

Mon téléphone sonna. C'était mon père. Cela faisait une éternité que nous ne nous étions pas parlé. Il n'aimait pas le téléphone, se contentant de m'envoyer un SMS de temps à autre pour prendre des nouvelles. Une appréhension me saisit. S'il appelait, cela signifiait qu'il y avait un problème.

— Salut, papa. Qu'est-ce qui se passe ?

— Bonjour, ma chérie.

— Tu vas bien ?

Mon père s'éclaircit la voix.

— Oui, ça va, Jade.

— Que me vaut ton appel, alors ?

— C'est ta mère. Elle a eu un accident.

Mon pouls s'accéléra. Ma mère et moi n'entretenions pas des relations très étroites. La dernière fois que je l'avais vue, deux ou trois semaines plus tôt, son mec du moment et elle étaient de passage à Grand Junction. Elle m'avait invitée à dîner et proposé de piquer une tête dans la piscine de son hôtel cinq étoiles huppé, et ça s'était arrêté là. Lorsque j'étais partie, elle m'avait vaguement embrassée sur la joue.

— Oh, mon Dieu, elle est blessée ?

— Je n'ai pas encore tous les détails, mais ça n'a pas l'air bon, ma chérie.

— Quoi… Où est-elle ? Elle est rentrée dans l'Iowa avec son petit ami ?

— Non, elle est à Grand Junction. Je me suis dit que tu voudrais la voir. J'arrive, je pars demain matin à la première heure.

— Tu n'as pas besoin de venir, papa. Je peux m'en occuper. C'est ma mère. Ce n'est plus ta femme depuis longtemps. Tu ne lui dois rien.

— Je sais. Et tu ne lui dois rien non plus, Jade. Mais je l'ai aimée et elle m'a fait le plus beau des cadeaux. Toi. Et je veux être là pour toi, ma chérie.

Je poussai un soupir de soulagement. La présence solide de mon père faciliterait beaucoup les choses.

— D'accord, papa. Elle est à quel hôpital ? Je vais partir tout de suite.

— Valleycrest. Tout ce que je sais, c'est qu'elle est grièvement blessée et qu'elle était au bloc opératoire quand ils m'ont appelé il y a quelques minutes. J'aurais voulu être avec toi ce soir.

— Ne t'inquiète pas pour ça, papa. Ça va aller. Je t'aime.

Je raccrochai.

J'aurais dû appeler Marj. Elle était ma meilleure amie et la personne vers laquelle je me tournais toujours quand j'avais besoin d'aide. Mais au moment présent, ce n'était pas Marj que je voulais voir. C'était son frère.

Tallon.

Ce n'était certes pas la meilleure occasion pour lui de faire la connaissance de ma mère, mais j'avais besoin de sa présence à mes côtés. Accepterait-il de venir si je le lui demandais ? Il n'y avait qu'un moyen de savoir. Je composai son numéro.

— Bonsoir, yeux d'azur.

— Bonsoir.

— Quoi de neuf ?

— J'ai besoin de te voir. S'il te plaît. Est-ce que tu peux m'accompagner à Grand Junction ce soir ?

— J'ai eu une journée difficile, yeux d'azur. Pourquoi tu dois aller en ville ?

— Je suis vraiment navrée que tu aies passé une mauvaise journée. Je t'assure. Mais j'ai besoin de toi. Ma mère… a eu un accident. Elle est à l'hôpital Valleycrest de Grand Junction. Ils sont en train de l'opérer. Il paraît que ce n'est pas bon. C'est tout ce que je sais.

— Oh, bébé, je suis désolé. Bien sûr que je vais t'accompagner.

Mon cœur bondit dans ma poitrine.

— Je peux passer te prendre au ranch.

— Non, je vais venir te chercher. Je ne veux pas que tu conduises alors que tu es bouleversée. Je serai là dans une demi-heure.

— Qu'est-ce que tu vas faire de Roger ? lui demandai-je, parlant de son adorable petit chien. Marj est aussi en ville ce soir.

— Je vais envoyer un message à Ry pour qu'il le sorte demain matin. Ne t'inquiète pas. Tout ira bien pour lui.

— Tallon, c'est tellement gentil de ta part. Merci, murmurai-je dans le téléphone, engourdie par l'appréhension.

Je reniflai, les yeux humides, incapable de verser des larmes pour une mère que je n'aimais même pas, mais qui comptait encore pour moi.

— Ça va, yeux d'azur ?

Je reniflai de nouveau.

— Oui.

— Tout ira bien. Ne bouge pas. Je serai là en un rien de temps.

Un silence, puis il ajouta :

— Je t'aime.

Mon cœur se dilata.

— Je t'aime aussi, Tallon.

★ ★ ★

Nous roulâmes jusqu'à Grand Junction presque sans échanger un mot et, une fois sur le parking de l'hôpital, Tallon me déposa devant l'entrée.

— Va voir ce qu'il en est. Je trouve une place et je te rejoins.

Je descendis aussitôt de la voiture et me hâtai vers la réception.

— Je cherche ma mère. Brooke Bailey.

L'employée pianota sur son ordinateur.

— Je n'ai personne à ce nom.

— Elle a été victime d'un accident.

— Il faut aller aux urgences, dans ce cas.

— Mais elle est au bloc opératoire ! Vous devez sûrement...

— Je suis désolée, madame. Il faut voir ça avec les urgences. Au bout du couloir sur votre droite.

Aurait-elle pu se montrer plus désagréable ? Je tournai les talons et remontai le couloir presque en courant.

La salle des urgences était bien sûr pleine à craquer. Je dus attendre mon tour dans une longue file de gens. Si ma mère avait été admise ici, pourquoi n'était-elle pas enregistrée ?

Tallon arriva dix minutes plus tard alors qu'il n'y avait plus qu'une personne devant moi.

— Du nouveau ? demanda-t-il.

Je secouai la tête.

— J'attends toujours de savoir où elle est.

La personne devant moi alla s'asseoir et la réceptionniste me fit signe d'approcher.

— En quoi puis-je vous aider ?

— Je cherche ma mère. Brooke Bailey. Elle a eu un accident.

Bonté divine, je ne savais même pas quel genre d'accident. Sûrement un accident de la circulation.

La réceptionniste tapa sur son ordinateur.

— Oui, elle est au bloc opératoire.

— Qu'est-ce qui s'est passé ? Comment va-t-elle ?

— Je suis désolée, je ne peux pas répondre à ces questions. Vous devez voir son médecin.

Tallon s'avança.

— C'est ridicule. C'est sa fille, pour l'amour du ciel. Vous ne pouvez pas la rassurer un peu ?

Le regard dur de la réceptionniste s'adoucit en le détaillant.

— J'aimerais pouvoir le faire, monsieur. Je comprends ce qu'elle ressent.

— Vous pouvez certainement voir sur votre ordinateur la nature de l'intervention qui est pratiquée sur madame Bailey, non ?

Elle sourit et l'espace d'un instant, je crus...

— Je regrette, monsieur. Je ne suis pas autorisée à donner des informations médicales. Vous devez vous adresser au médecin ou à une infirmière. Je vais prévenir l'infirmière que vous êtes là et elle viendra dès que possible.

Elle leva les yeux vers moi.

— Quel est votre nom, mademoiselle ?

— Jade. Jade Roberts. Je suis sa fille.

Elle pianota sur son clavier.

— Allez vous asseoir. L'infirmière ne va pas tarder.

Tallon poussa un soupir.

— Très bien. Merci de votre aide.

Me prenant par le bras, il m'entraîna vers deux sièges libres. Nous étions entourés de gamins qui pleuraient et d'adultes qui gémissaient, mais cela m'était indifférent.

Mon cœur battait à toute allure. Ma mère m'importait-elle plus que je le pensais ? C'était nouveau pour moi. Ma gorge se serra tandis qu'un combat faisait rage entre ma tête et mon cœur. J'avais envie de pleurer sans trop savoir pourquoi.

Tallon m'étreignit la main.

— Ça va ?

C'est alors que les vannes s'ouvrirent. Toutes ces larmes que j'avais retenues emplirent mes yeux. Je hoquetai sans bruit, m'exhortant à ne pas craquer. Sortant un bandana rouge de sa poche, Tallon me le tendit.

Je m'essuyai les yeux et me mouchai.

Qu'est-ce qui me prenait ?

La réponse était claire. C'était ma mère. Elle m'avait donné la vie et je ne pouvais que lui en être reconnaissante. Sans elle, je ne serais pas assise à côté de l'homme que j'aimais.

Tallon me tint la main et nous restâmes assis en silence jusqu'à ce qu'une femme en blouse stérile s'avance vers nous.

— Mademoiselle Roberts ?

— Oui, je suis Jade Roberts.

— Vous êtes ici pour Brooke Bailey ?

— Oui. Je suis sa fille. Qu'est-ce que vous pouvez me dire ?

— La voiture dans laquelle elle se trouvait a été percutée de plein fouet. Elle était à l'avant, à la place du passager, et son airbag ne s'est pas déployé.

Je tressaillis.

— Qui conduisait ?

— Un de ses amis, qui a été légèrement blessé. L'airbag lui a coupé la respiration et il a quelques ecchymoses, probablement une côte cassée. On l'a laissé sortir.

— Et ma mère ?

— Elle souffre de lacérations sévères et de nombreuses contusions. Fracture du genou et des côtes, le bassin a également été touché. Possibles lésions internes et cérébrales. Pour l'instant, les médecins tentent de la stabiliser.

Des lésions cérébrales ?

— Mon Dieu.

Tallon serra ma main plus fort.

— Elle avait heureusement attaché sa ceinture de sécurité. Ça lui a sauvé la vie.

— Pourquoi l'airbag ne s'est-il pas…

Je ne parvenais pas à comprendre ce qui s'était passé.

— Nous l'ignorons, mademoiselle. Les airbags ne sont pas infaillibles.

— Avec qui était-elle ?

— Un homme du nom de Nico Kostas. Je crois qu'il est dans la salle d'attente du service de chirurgie.

— C'est son petit ami.

Je repris ma respiration.

— Elle n'était pas enregistrée aux admissions.

— Elle aurait dû l'être. Mais la mise à jour de nos bases de données prend parfois un moment. Elle a été admise il y a deux heures environ. Nous avons trouvé dans son portefeuille le nom de la personne à contacter en cas d'urgence. Un certain Brian Roberts.

— C'est mon père. Il arrivera demain. Il habite à Denver.

— Vous pouvez attendre avec son ami au service de chirurgie. Venez. Je vais demander à quelqu'un de vous y conduire.

Tallon se leva et m'aida à me mettre debout. Nous suivîmes l'infirmière, qui se dirigea vers un aide-soignant. Le jeune homme nous fit prendre un ascenseur et nous guida dans une salle d'attente de l'autre côté du couloir.

Nico était assis, la tête entre les mains, vêtu d'un costume bleu marine bien coupé agrémenté d'une cravate rouge et noire. Des chaussures en cuir noir brillantes. Je m'approchai de lui.

— Nico, bonsoir.

Il releva les yeux.

— La fille de Brooke ?

— Oui, Jade.

— Bien sûr, Jade. Je n'ai pas les idées très claires.

— Je comprends.

Je regardai Tallon.

— Je vous présente mon…

Mon quoi ? Mon ami ? Ce serait insultant. Mon petit ami ? Nous n'étions plus au lycée. Mon amant ?

— Tallon Steel.

Nico se tourna vers lui et le dévisagea pendant plusieurs secondes avant de tendre la main.

— Nico Kostas.

Il serra la main de Tallon, puis passa les doigts dans ses cheveux noirs.

— Qu'est-ce qui est arrivé ? demandai-je.

Nico secoua la tête.

— Tout est confus dans mon esprit. Nous roulions tranquillement sur Stetler Road après avoir dîné dehors, et puis soudain, un camion qui arrivait dans l'autre sens s'est déporté sur notre file et nous a percutés de plein fouet. Le conducteur est indemne, comme moi. Je ne comprends pas ce qui a pu se passer avec l'airbag. Je…

Il ferma les yeux, laissant échapper une larme.

— Ce n'est pas votre faute, dis-je, en espérant que c'était la vérité.

Il ouvrit les yeux.

— Je suis heureux que vous soyez là. Je ne peux pas rester plus longtemps. Je dois prendre un avion pour Des Moines et je suis déjà en retard.

— Vous voulez dire que vous allez partir ?

Se souciait-il donc si peu de ma mère ?

— Je le regrette. Mais je n'ai pas le choix. Brooke comprendra.

Brooke peut-être, mais moi certainement pas.

— Très bien. Je vous souhaite bon voyage.

Je pris place sur une chaise et Tallon s'assit à côté de moi tandis que Nico s'éloignait.

— Sympa le type, hein ? dis-je à Tallon.

— Il a peut-être vraiment des obligations, fit remarquer Tallon. Pourtant…

— Quoi ?

Tallon fit la grimace.

— Il avait l'air de se ronger les sangs quand nous sommes arrivés et tout à coup, il met les voiles ?

— Tu m'ôtes les mots de la bouche. Mais je n'ai pas le temps de m'inquiéter du fait que son petit ami soit un con. Il faut que je sache comment va ma mère.

— Ça fait déjà un moment qu'elle est au bloc. On aura forcément bientôt des nouvelles, me répondit-il en souriant.

Son sourire. Cela lui arrivait plus souvent désormais. Quand j'avais fait sa connaissance plusieurs mois auparavant, lui tirer un sourire revenait à lui arracher les dents une par une.

Il se leva.

— Je vais voir si je trouve un truc à boire. Tu veux quelque chose ?

Je n'avais pas soif, mais une envie pressante commençait à se manifester.

— Non merci, mais tu veux bien rester une minute au cas où quelqu'un aurait des nouvelles ? Il faut que j'aille aux toilettes.

Tallon se rassit.

— Bien sûr.

Je déposai un baiser sur ses cheveux avant de me mettre en quête des toilettes. Alors que je bifurquais dans un autre couloir, je me figeai.

À l'autre bout, je reconnus Nico, en train de parler à… Larry ? Je plissai les yeux. Le couloir était long, mais j'aurais pu jurer qu'il s'agissait de mon patron, Larry Wade. Que faisait-il ici ?

L'homme qui ressemblait à Larry se retourna et croisa mon

regard avant de tirer Nico dans l'angle. Je hâtai le pas, courant presque, mais lorsque j'arrivai au bout du corridor, les deux hommes avaient disparu.

Était-ce vraiment Larry ? Était-ce même Nico ? Je n'avais plus les yeux en face des trous. Mes genoux se dérobèrent sous moi. Que se passait-il ?

Je m'appuyai contre le mur et inspirai profondément. Quand je me fus un peu ressaisie, je rebroussai chemin et trouvai des toilettes.

Quelques minutes plus tard, j'étais de retour dans la salle d'attente. Tallon n'avait pas bougé et feuilletait un magazine de sport.

— Des nouvelles ?

Il secoua la tête.

Je me rassis à côté de lui, très agitée.

— Qu'est-ce qui ne va pas ?

— Rien. C'est juste que j'ai cru voir…

Quoi ? Le mec de ma mère qui parlait à mon patron véreux ? Et alors ?

— Qu'est-ce que tu as vu ?

— Rien. Ça va.

Ce n'était pas le moment d'analyser ce que j'avais vu et ce que ça pouvait signifier. Dans l'immédiat, je ne devais penser qu'à ma mère.

— Tu peux rester seule quelques minutes ? Je vais me chercher quelque chose à boire. Tu ne veux vraiment rien ?

Je secouai la tête.

Il revint un moment plus tard avec une bouteille de Coca et se rassit. Il m'entoura les épaules d'un bras et je me blottis contre lui.

Et j'attendis.

Au bout d'une heure, une femme en blouse stérile se dirigea vers nous.

— Mademoiselle Roberts ?

— Oui ?

— Je suis le docteur Rosenblum, la chirurgienne orthopédique de votre mère. Le docteur Melvin, le chirurgien traumatologue, n'a pas encore fini de l'opérer.

— Comment va-t-elle ?

— Elle tient le coup. Elle est solide.

— Quel est le bilan ?

— Elle a un genou en miettes et son bassin est fortement contusionné. Elle a eu de la chance qu'il ne soit pas fracturé. Ce sera six mois de convalescence. Elle a également plusieurs côtes cassées. J'ai fait ce que j'ai pu pour son genou, mais elle aura peut-être besoin d'une prothèse si ça ne suffit pas. Mais pour l'instant, ses os sont le cadet de nos soucis. Le choc a provoqué des hémorragies internes. Le docteur Melvin est en train de s'en occuper. Il viendra vous parler dès qu'il aura fini.

— A-t-il pu stopper les hémorragies ?

— Nous pensons que oui. Il sera en mesure de vous en dire davantage quand il sortira du bloc.

— C'est une bonne chose, non ?

Elle pinça les lèvres. Sa tête ne bougea pas. Pas de signe d'acquiescement. Pas de signe de dénégation.

— Oui pour ce qui est de l'hémorragie interne, mais, mademoiselle Roberts, votre mère est dans le coma. Il est possible qu'elle ait subi des lésions cérébrales.

— Quoi ?

— Une fois qu'elle sera stabilisée, un neurologue procédera à une évaluation approfondie.

— Une fois qu'elle sera stabilisée ? Faites-le immédiatement, pour l'amour du ciel.

Tallon me tira la main pour attirer mon attention.

— Jade…

Je me dégageai.

— Non, Tallon.

Je toisai la doctoresse.

— Faites-le maintenant. Faites tout ce qu'il y a à faire.

— Mademoiselle Roberts, croyez-moi, nous faisons tout ce que nous pouvons.

La sincérité se lisait dans ses yeux.

— Ma mère a-t-elle une chance de s'en sortir ?

Elle sourit.

— D'après ce que j'ai vu, elle a de bonnes chances de s'en tirer. Mais le docteur Melvin… Justement, le voilà.

Un homme de haute taille, vêtu de la tenue verte des chirurgiens, nous rejoignit. Il me tendit la main.

— Mademoiselle Roberts ?

J'acquiesçai.

— Jim Melvin. Votre mère est stable pour le moment. Elle a été transférée en soins intensifs pour la nuit. Nous ferons un bilan demain matin.

Je déglutis. J'aurais dû poser des questions, mais aucun mot ne sortit de ma bouche

— Elle recevra les meilleurs soins possibles ici, me dit le docteur Rosenblum d'un ton apaisant. Je ne vais pas vous dire de ne pas vous inquiéter, mais prenez au moins un peu de repos.

— Je veux la voir.

Le docteur Melvin acquiesça.

— D'accord. Mais une minute seulement. Et je dois vous avertir, le choc a été rude. Vous aurez du mal à la reconnaître.

Les médecins me guidèrent jusqu'au service des soins intensifs et dans le box de ma mère.

Je suffoquai. Elle était reliée à une myriade de machines et son teint était terreux. Ses lèvres étaient éclatées, elle avait les yeux tuméfiés, l'un d'eux tellement gonflé que la paupière s'était retournée.

— Elle aura sans doute besoin d'une reconstruction faciale, dit le docteur Rosenblum. Mais pour l'instant, évidemment, notre objectif premier est de la maintenir en vie.

Son moniteur cardiaque émettait des bips espacés.

— Pourquoi son cœur bat-il si lentement ? demandai-je.

— C'est à cause de l'anesthésie, expliqua le médecin. C'est normal. Au fur et à mesure que l'effet des médicaments s'estompera, son rythme cardiaque se normalisera. On lui a administré de fortes doses d'analgésiques…

Un bourdonnement sourd me perça soudain le cerveau.

— Merde, s'exclama le docteur Rosenblum. Code bleu !

Le bourdonnement en provenance des machines auxquelles ma mère était branchée se mua en longs bips stridents. Le cœur battant à l'unisson des équipements, je sentis un grand froid m'envahir.

— Vous allez devoir sortir, dit le médecin en m'éloignant.

— Mais c'est ma mère !

— Nous allons faire tout ce que nous pourrons pour elle, ajouta-t-elle en me poussant dehors.

# Chapitre 4

TALLON

Jade revint dans la salle d'attente d'un pas chancelant, l'air hébété. Bondissant de mon siège, je me précipitai vers elle.

— Qu'est-ce qu'il y a ?

— Ma mère fait un arrêt cardiaque ou un truc du genre. Ils ne m'ont rien dit. Ses moniteurs se sont mis à hurler. Je ne sais pas.

Je la pris dans mes bras. J'avais envie de la serrer très fort et d'être son rempart contre toutes les injustices de ce monde cruel. Je n'avais pas été capable de me protéger moi-même, mais bon Dieu, je voulais la mettre à l'abri de tout le mal et de toutes les horreurs qui nous entouraient.

Mais j'étais impuissant. Ce qui était arrivé à sa mère était hors de mon contrôle. J'avais été incapable de sauver ma propre mère et je ne pouvais pas non plus sauver la sienne.

Elle s'affaissa contre moi, et je l'aidai à s'asseoir. Nous ne pouvions qu'attendre.

Une demi-heure plus tard, la doctoresse réapparut.

Jade se leva.

— Ma mère ?

— Son état est stable, l'informa-t-elle. Pour le moment.

— Dieu merci, répondit Jade en se laissant retomber sur son siège.

— Vous avez besoin de repos, mademoiselle Roberts. Vous ne serez d'aucune aide à votre mère dans cet état. Rentrez chez vous. Je vous promets que nous vous appellerons si la situation évolue.

— Elle a raison, opinai-je.

Mais Jade secoua la tête.

— Non, je ne veux pas m'en aller.

— Alors, prenons au moins une chambre près d'ici pour la nuit.

Elle renifla.

— D'accord. Mais je ne veux pas m'éloigner de plus de quelques rues.

— On va trouver ça, yeux d'azur. Merci de votre aide, ajoutai-je à l'attention de la doctoresse. Vous avez nos coordonnées ?

— Laissez-les à l'accueil en sortant.

Je lui adressai un signe de tête et guidai Jade jusqu'à l'ascenseur. La nuit s'annonçait longue.

★ ★ ★

— Deux chambres, annonçai-je au type de la réception du Carlton.

Le regard vitreux, Jade se cramponnait à mon bras. Je tendis ma carte de crédit au réceptionniste, signai et pris les cartes magnétiques.

Les deux chambres se trouvaient au cinquième étage. Bien.

— Allons-y, yeux d'azur.

Je la fis entrer dans l'ascenseur et pressai le bouton du cinquième. Une fois dehors, je pris à droite en direction de la première chambre. Je glissai la carte dans la fente et ouvris la porte.

— Voilà ta chambre.

Elle pivota vers moi.

— Comment ça, *ma* chambre ?

Je savais ce qui allait se passer.

— Oui, ta chambre. La mienne est au bout du couloir.

— Oh, non. Tu restes avec moi. J'ai besoin de toi cette nuit, Tallon.

— Bébé, tu sais que je ne peux pas faire ça. Tu te rappelles ce qui est arrivé la dernière fois que j'ai dormi avec toi ?

Une vision à jamais gravée dans ma mémoire : je m'étais réveillé, les mains serrées autour du cou de Jade. Je refusais de prendre le risque qu'une telle chose se reproduise. Même si j'avais travaillé sur cet épisode avec ma thérapeute, je n'étais toujours pas prêt à passer la nuit avec elle.

Je ne pourrais jamais me le pardonner si je lui faisais du mal.

Elle secoua vigoureusement la tête.

— Non. S'il te plaît, Tallon.

— Je ne serai pas loin, je te le promets. Si tu as besoin de moi, tu n'auras qu'à m'appeler.

— Tallon, je t'en prie. C'est ma mère. Je ne pensais pas qu'elle comptait autant pour moi. Je suis surprise d'être dans un tel état. Mais tout à coup, j'ai terriblement besoin d'elle. Mon père est en route, il devrait arriver demain.

Elle consulta sa montre.

— Enfin, aujourd'hui, mais pas avant un moment. Il vient de Denver en voiture. S'il te plaît.

— Je ne peux pas, yeux d'azur. Je refuse de prendre ce risque.

Elle me tira par le bras, me faisant entrer de force. La porte de la chambre se referma et elle me saisit les joues, guidant ma bouche vers la sienne.

C'était un baiser impérieux. Ce n'était pas le premier de la sorte

que nous échangions, mais c'était différent. Jade était tellement…
*demandeuse.*

D'ordinaire, c'était mon rôle.

Je n'avais pas l'habitude qu'on ait besoin de moi. Certes, mes frères et Marj prétendaient ne pas pouvoir se passer de moi, mais ce n'était pas vrai. Pas vraiment. Personne n'avait jamais eu aussi besoin de moi que Jade en cet instant.

Elle s'agrippait à moi comme si sa vie en dépendait, puis elle se recula, reprenant sa respiration.

— Je t'en supplie, Tallon, ne me laisse pas. Je ne te demanderai plus jamais rien, je te le promets.

Quelque chose dans son regard me persuada de rester. Elle était réellement terrorisée à l'idée de perdre sa mère, dont je ne l'avais pourtant jamais entendue parler en bien. Mais il arrivait que les émotions soient si profondément enfouies qu'on n'en avait même pas conscience. J'étais bien placé pour le comprendre.

Je hochai légèrement la tête. Je resterais, au moins jusqu'à ce qu'elle s'endorme. Il y avait deux lits dans la chambre. Je pouvais toujours dormir dans l'autre, ou regagner ma propre chambre. Oui, c'était mieux. Mais plus tard.

— S'il te plaît, m'implora-t-elle dans un sanglot. Je ne peux pas passer la nuit toute seule. Je ne peux pas.

— Là, murmurai-je contre ses cheveux. Je vais rester avec toi, bébé. Je suis là pour toi. Je ferai tout ce que tu voudras.

Je n'avais jamais rien prononcé d'aussi vrai. J'étais là pour elle, prêt à faire tout ce qu'elle voudrait. Elle n'avait qu'à demander et j'exaucerais ses désirs. Je le savais au plus profond de mon âme.

Elle recula légèrement, plongeant son regard bleu métallique dans le mien.

— Je veux que tu me fasses l'amour, Tallon. Aime-moi. Montre-moi ce qui compte vraiment dans la vie.

Nous n'avions pas couché ensemble depuis que j'avais pris sa virginité anale, un épisode qui avait réveillé en moi de sombres souvenirs. Mais ce n'était pas le moment d'être égoïste. Je devais penser à Jade, faire passer ses besoins avant les miens.

Je *désirais* faire passer ses besoins avant les miens.

C'était un sentiment nouveau pour moi. J'avais passé tant d'années de ma vie à m'apitoyer sur mon sort que je ne m'étais jamais soucié de ce que voulaient les autres. Bien sûr, je faisais ma part de travail au ranch et j'avais servi dans les Marines. J'avais toujours fait ce qu'on attendait de moi, mais jamais dans l'intérêt de quelqu'un d'autre que moi.

Jade avait percé mes défenses et s'était faufilée sous ma carapace.

Mais avait-elle réellement pris cette initiative ? Avait-elle cherché une ouverture ?

Ou bien l'avais-je laissée entrer ?

Personne avant elle n'avait trouvé le moyen de franchir mes barrières – ni mes frères, ni ma sœur, personne. Mais Jade était entrée.

Et je voulais tout lui montrer de moi. M'aimerait-elle toujours lorsqu'elle apprendrait toute l'histoire ? C'est ce qu'elle avait affirmé. Et elle m'avait donné la preuve de l'étendue de sa confiance, la dernière fois que nous avions couché ensemble. Personne n'avait jamais eu une telle confiance en moi, pas même mes hommes en Irak. Eux n'avaient eu d'autre choix que de compter sur moi. Leurs vies en dépendaient. Mais ils ne me connaissaient ni d'Ève ni d'Adam. Ils devaient me faire confiance parce que j'étais leur commandant.

Mais Jade… rien ne l'y obligeait. Elle m'avait accordé cette confiance de son plein gré.

Un cadeau merveilleux !

Il n'était pas question qu'elle le regrette.

Je refermai mes bras sur elle, l'enveloppant dans une étreinte que j'espérais solide et rassurante. Comme toujours, la simple proximité de son corps me fit bander.

Je la relâchai légèrement et lui relevai le menton de façon à plonger son regard d'azur dans le mien.

— Tu es sûre, bébé ? Ça ne fait rien si tu préfères te coucher et pleurer. Je te tiendrai dans mes bras. Tu peux pleurer toute la nuit, si tu veux.

Elle secoua la tête.

— Je pleurerai plus tard. Pour le moment, j'ai envie de faire l'amour. S'il te plaît, Tallon, montre-moi ce qui est beau dans ce monde.

Mon cœur s'emplit d'un amour pur.

— C'est *toi*, ce qu'il y a de plus beau dans ce monde, Jade.

Une larme roula sur sa joue.

— J'aimerais pouvoir te croire. Avec tout ce qui se passe.

— Qu'est-ce que tu veux dire ? Qu'est-il arrivé d'autre ?

Elle secoua de nouveau la tête.

— Je n'ai pas envie d'en parler maintenant, Tallon. Emmène-moi au lit, s'il te plaît.

Je voulais savoir ce qui pouvait la préoccuper en dehors de sa mère, mais ma queue palpitait dans mon pantalon et je brûlais, moi aussi, de m'abîmer dans sa moiteur.

Je la conduisis jusqu'au lit puis la déshabillai lentement. Elle portait un jean et un tee-shirt. Elle avait dû se changer après le travail. Je dégrafai son soutien-gorge et le laissai tomber à ses pieds. Ses seins voluptueux s'étalèrent doucement sur son torse, ses tétons déjà dressés et durcis pour moi. Je dus me retenir de ne pas les pincer comme elle aimait.

Je fis rouler sa culotte en dentelle sur ses hanches étroites, le long de ses jambes fuselées, et elle s'en débarrassa. Elle se tenait devant moi, entièrement nue et vulnérable. Elle entreprit alors de déboutonner ma chemise. Lorsqu'elle arriva à ma taille, elle en tira les pans pour qu'ils sortent de mon jean, avant de faire glisser le tissu sur mes épaules et jusqu'au sol. Elle déboucla mon ceinturon, ouvrit ma braguette et descendit mon jean et mon caleçon sur mes fesses et mes hanches. Ma queue jaillit aussitôt, plus dure que jamais. Elle s'agenouilla pour lécher une goutte de liquide pré-séminal qui perlait sur mon gland. Je faillis exploser sur-le-champ. Elle se releva et me poussa sur le lit pour me retirer mes bottes, mes chaussettes, mon jean et mon caleçon avant de s'installer sur mes genoux.

— Embrasse-moi les seins, Tallon, m'ordonna-t-elle en me présentant sa poitrine.

Ses mamelons brun rosé étaient déjà contractés. J'en titillai un de la pointe de la langue et elle exhala un de ces soupirs qui me rendaient fou. Sous elle, mon sexe était dur comme la pierre et je brûlais de m'enfouir en elle. Au lieu de ça, je semai une multitude de baisers minuscules autour d'une aréole et fis doucement courir mes doigts sur l'autre. Elle poussa un nouveau soupir, déplaçant son bassin, caressant ma queue de sa chatte humide.

— Dis-moi ce que tu veux, bébé, murmurai-je contre sa peau soyeuse. Tout ce que tu voudras, yeux d'azur. Tu n'as qu'à demander.

Soulevant les hanches, elle s'empala sur mon sexe dressé.

— C'est *toi* que je veux, Tallon. Rien d'autre.

Je laissai échapper un grognement, ma bouche toujours pressée contre le satin de ses seins.

— C'est ça, bébé, dis-je. Prends ce que tu veux.

Je résistai à l'envie de m'enfoncer en elle d'un coup de reins. Je la laissai aller à son propre rythme. Elle ferma les paupières, soupirant à nouveau, et je levai les yeux. Bon Dieu, qu'elle était belle. Ses cils sombres s'étalaient tel un doux rideau sur sa peau somptueuse, ses joues naturellement teintées du rose des framboises. Ses cheveux mordorés cascadaient en désordre sur ses épaules laiteuses. Ses seins gonflés et rougis, ses tétons toujours contractés, appelant mes caresses. Je me redressai légèrement pour en aspirer un dans ma bouche, que je suçai tandis qu'elle continuait d'onduler.

— Tallon, montre-moi. Montre-moi ce qui est beau.

Je répétai ce que j'avais dit un peu plus tôt :

— C'est toi la beauté de ce monde, bébé. Rien que toi.

L'une de ses mains descendit et elle commença à se caresser. Je serrai les dents, m'intimant de ne pas jouir prématurément. La regarder se donner du plaisir me rendait fou. Elle était si belle, si sensuelle.

Elle accéléra le mouvement. En dépit de mon envie grandissante de m'enfouir au fond d'elle pour éjaculer, je me retins. Je voulais lui donner tout ce dont elle avait besoin et qu'elle prenne de moi tout ce qu'il lui fallait.

C'est ce qu'elle m'avait dit la première fois que nous avions fait l'amour. Maintenant que j'y réfléchissais, c'était exactement ce que nous avions fait, même si je n'en avais pas encore conscience à l'époque. Elle s'était offerte à moi sans conditions, m'enjoignant de prendre d'elle tout ce qu'il me fallait.

À présent, je lui rendais la pareille. Je voulais qu'elle prenne de moi tout ce qu'elle désirait.

Elle accéléra légèrement la cadence, me chevauchant, s'abandonnant à moi. Son sexe était si doux tout autour de ma queue, l'épousant à la perfection, comme toujours. Je remontai les mains sur ses cuisses, sur ses flancs, puis redescendis et lui empoignai les fesses. C'était plus fort que moi. Je la soulevai pour la faire coulisser, plus vite, toujours plus vite…

— Oh, oui, gémit-elle. Comme ça. Comme ça.

Tous mes muscles se contractèrent. J'étais déterminé à ne pas éjaculer avant qu'elle ait joui. Elle se frottait le clitoris fébrilement, poussant des gémissements, se tortillant, jusqu'à ce que…

— Oui ! Oui, Tallon, je jouis !

Je m'abîmai en elle.

— Oui, bébé, jouis pour moi. Jouis sur moi.

Elle poursuivit sa chevauchée sauvage, s'empalant sur moi de plus belle, et je sentis chacune de ses convulsions autour de ma queue ultrasensible.

Son orgasme n'en finissait pas, jusqu'au point où je ne pus plus me retenir. Je plongeai au fond d'elle d'un coup de reins, pressé d'atteindre la partie la plus secrète de son anatomie, de la posséder, et je libérai ma semence dans la femme que j'aimais.

Elle s'effondra contre mon torse, sa peau chaude couverte d'un voile de transpiration. Nous nous cramponnions l'un à l'autre, encore imprégnés de la volupté de nos orgasmes et de la chaleur de l'autre, unis, et c'était dans l'ordre des choses.

Nous avions tous les deux le souffle court, le parfum de nos ébats emplissant l'air. Elle ne fit aucun mouvement pour se séparer de moi, aussi, au bout de quelques minutes, je me penchai et l'entraînai avec moi sur le lit de façon que nous soyons tous les deux allongés, toujours unis.

— Je t'aime, murmurai-je contre son front.

M'avait-elle entendu ? Ses paupières étaient closes et elle ne répondit pas. Elle avait besoin de sommeil. Je la serrai contre moi, savourant ce contact pendant environ une demi-heure avant de me retirer. Délicatement, je la soulevai et la couvris du drap et de la couverture. J'effleurai doucement ses lèvres des miennes.

— Bonne nuit, mon amour.

Puis je traversai la pièce et me glissai dans l'autre lit. La chaleur du corps de Jade me manquait, mais sans la certitude que je n'essaierais pas à nouveau de lui faire du mal à cause d'un rêve, il n'était pas question que je dorme avec elle. J'étais déjà inquiet à l'idée de partager sa chambre, mais je ne voulais pas qu'elle se réveille seule. Pas cette nuit.

Aujourd'hui, ou plutôt hier, j'avais franchi une étape cruciale. J'avais avoué au docteur Carmichael – avec les mots exacts – une chose que je n'avais jamais dite à personne, pas même à mes frères.

Mais le temps était venu de m'ouvrir à eux. Et aussi à ma sœur. Jonah avait raison. Marjorie avait le droit de savoir pourquoi elle n'avait pas connu sa mère. Je leur envoyai un message à tous les trois, leur demandant de me retrouver au ranch ce dimanche afin qu'on ait une discussion. Puis j'adressai un second texto seulement à Jonah et Ryan.

*Le moment est venu de*
*dire la vérité à Marj.*

# Chapitre 5

Je me réveillai en sursaut. Où était Tallon ?

Je m'assis dans le lit, l'esprit confus. Puis j'entendis des coups frappés à la porte. Est-ce que c'était ça qui m'avait tirée du sommeil ? Je me levai à la hâte, nue comme un ver. Heureusement, j'étais au Carlton et d'épais peignoirs blancs étaient accrochés dans la salle de bains. J'en enfilai un et me dirigeai vers la porte pour regarder par le judas.

Tallon.

J'ouvris la porte.

— Où étais-tu ?

— Je suis désolé. Je suis sorti dans le couloir pour téléphoner. Je ne voulais pas te déranger. J'ai oublié de prendre une clé.

Mon cœur s'emballa.

— Comment as-tu pu me laisser ? Tu savais que j'avais besoin de toi.

— Bébé, j'étais dans l'autre lit. Je suis resté avec toi toute la nuit. Je ne suis sorti que quelques minutes.

— Quelle heure est-il ?

Se fendant d'un sourire, il entra dans la chambre et se dirigea vers la fenêtre pour tirer les rideaux. Un soleil radieux me fit plisser les yeux. C'était le matin ?

— Il est 13 heures, Jade. Tu as fait le tour du cadran.

Mon cœur bondit littéralement dans ma poitrine.

— Quoi ? Non.

— Si. J'ai appelé la réception pour qu'on puisse rester un peu plus longtemps. Nous devons quitter la chambre à 15 heures.

Je me mis à ramasser mes vêtements avec frénésie.

— Mais ma mère. Il faut que j'aille voir ma mère !

— Yeux d'azur, ta mère va aussi bien que possible. J'ai appelé l'hôpital ce matin pour avoir des nouvelles. Elle n'a pas repris connaissance, mais son état est stable.

Je me sentis légèrement soulagée.

— Tout de même, il faut que j'aille la voir.

— Tu veux que je te réserve une chambre pour ce soir ?

— Mon père doit arriver aujourd'hui. Je ne sais pas ce qu'il a prévu.

Je saisis mon téléphone à la hâte. Et oui, bien sûr, il m'avait envoyé un SMS.

*Je devrais être à l'hôpital vers
15 h, ma chérie.*

Je me retournai vers Tallon.

— Il sera là dans moins de deux heures. Il nous retrouvera à l'hôpital.

Il secoua la tête.

— Je dois retourner au ranch, yeux d'azur. J'aimerais pouvoir rester.

Le cœur me manqua.

— Je t'en prie. Je ne veux pas être seule.

— Tu ne seras pas seule, Jade. Ton père va arriver. Je resterai jusqu'à ce qu'il soit là.

Ma gorge se noua.

— Non. C'est toi que je veux, Tallon. Toi.

Dans un soupir, il m'attira contre lui et me caressa les cheveux.

— D'accord, yeux d'azur. Si c'est ce que tu veux, je vais rester un peu.

— Merci.

— Je veux que tu prennes une douche. Pendant ce temps, je vais aller nous chercher à manger, d'accord ?

Je secouai la tête.

— Non, il faut que nous allions à l'hôpital.

— Je te l'ai dit, rien n'a changé. Elle ne saura même pas que tu es là, bébé. S'il te plaît, tu dois aussi t'occuper de toi.

Il avait raison. Blottie contre son torse, je hochai la tête.

— D'accord. Mais je n'en aurai pas pour longtemps. Sois de retour dans quinze minutes.

— Oui, chef, répondit-il avec un salut militaire.

Une fois Tallon parti, je me mis à trembler, mes nerfs menaçant de lâcher. *Non, Jade, ne craque pas.* Je me débarrassai de mon peignoir et pris une douche rapide, laissant couler mes larmes. De toute façon, je ne devais déjà ressembler à rien après avoir pleuré hier soir, alors quelle importance ? Tallon me verrait au plus bas. Je l'avais vu dans le même état et je l'aimais toujours plus que tout.

N'ayant pas apporté de vêtements de rechange, je dus remettre ceux de la veille. *Beurk*, mais je n'avais pas le choix. Une fois habillée, je retournai dans la salle de bains et me démêlai les cheveux. Je décidai de les laisser sécher à l'air libre. J'attrapai ensuite mon sac et appliquai un peu de rouge à lèvres. Ça ferait l'affaire. Je n'avais pas l'énergie de m'apprêter davantage.

À l'heure dite, Tallon revint dans la chambre, avec des burgers et des frites. J'avais l'impression que la nourriture avait un goût de carton, mais ça me fit du bien de manger.

Et même si je mourais d'envie de retourner me coucher avec Talon, de me perdre en lui et d'échapper à la réalité, je pris sur moi. Je devais aller voir ma mère.

Mais une fois à l'hôpital, je me rendis compte que Tallon avait raison. Son état était stable et rien n'avait changé. Tout ce que je pouvais faire, c'était m'asseoir quelques minutes à son chevet. Tallon ne fut pas autorisé à m'accompagner et je restai donc seule avec elle, à lui tenir la main, à laquelle était attaché un oxymètre.

J'avais envie de lui parler, même si elle ne pouvait pas m'entendre, mais je ne savais pas quoi lui dire. Nous n'avions jamais été proches. Elle ne s'était jamais suffisamment souciée de moi pour ça. La seule fois où elle était revenue, lorsque j'avais quinze ans, son deuxième mari l'avait dépouillée de toute la fortune qu'elle avait amassée pendant ses années de mannequinat. Elle était revenue vers mon père et moi fauchée comme les blés, et ni l'un ni l'autre ne voulions plus rien avoir à faire avec elle.

Je n'avais jamais regretté cette décision. Elle n'avait pas été là pour moi quand j'avais besoin d'elle, durant mon enfance. Elle avait choisi sa carrière et cette blessure n'avait pas encore cicatrisé. Mais c'était ma mère et je ne voulais pas qu'elle meure.

C'était donc ce que j'allais lui dire. Je pris une profonde inspiration et lui étreignis la main.

— Je suis désolée de ce qui t'est arrivé, maman. Vraiment désolée. Mais je suis là. Papa arrive. Nico a dû retourner à Des Moines, mais je suis sûre qu'il sera bientôt de retour.

Dans mon for intérieur, je savais que c'était un mensonge. Nico ne reviendrait pas. Mais je ne pouvais pas dire ça à ma mère, même si elle ne m'entendait pas.

— Je sais que nous n'avons jamais été proches, mais tu es ma mère et à ma façon, je t'aime.

Une infirmière entra pour vérifier ses constantes.

— Comment va-t-elle ? lui demandai-je.

— Aussi bien que possible. Je vous ai entendue lui parler. Je pense que c'est une bonne chose.

Je me mordis la lèvre inférieure.

— Elle ne peut pas m'entendre et elle ne sait même pas que je suis là.

L'infirmière me sourit.

— Depuis quinze ans que je travaille aux soins intensifs, j'ai vu de nombreux patients dans l'état de votre mère. Ceux qui s'en sortent le mieux sont ceux dont les proches sont présents, passent du temps à leur chevet, leur tiennent la main et leur parlent, exactement comme vous le faites maintenant. Elle sait que vous êtes là. Vous pouvez en être certaine.

Le savait-elle ? Était-ce important à ses yeux ? Quelques semaines plus tôt, elle m'avait invitée à dîner avec elle et Nico. J'avais pensé qu'elle s'y était sentie obligée. Ou était-ce autre chose ? Maintenant que j'étais adulte, voulait-elle tenter de réparer notre relation ? Meilleure question : est-ce que moi, je le voulais ?

Ma mère autrefois si belle, désormais blessée et meurtrie, allongée dans un lit d'hôpital où elle luttait pour sa vie, demeurait silencieuse. Et la réponse me vint à l'esprit. Oui. Si cela était encore possible, je voulais reconstruire notre relation.

L'infirmière termina sa tâche, puis passa au patient suivant. Les yeux fermés, je restai assise en silence, la main de Brooke toujours dans la mienne.

— Coucou, ma chérie.

Lorsque j'ouvris les yeux, je trouvai mon père sur le pas de la porte. Abandonnant la main de ma mère, je me jetai dans ses bras.

— Papa, je suis tellement heureuse que tu sois là.

— Moi aussi. Comment va-t-elle ?

— Ils disent que son état est stationnaire, mais elle est toujours inconsciente. Elle a un genou et des côtes fracturés et son bassin a été touché. Et regarde la tête qu'elle a.

Mon père rit doucement contre mes cheveux.

— Pauvre Brooke. Si elle savait à quoi elle ressemble.

Je ne pus m'empêcher de l'imiter. C'était la stricte vérité. Ma mère détestait se montrer autrement que sous son meilleur jour.

— Tu sais, je ne crois pas que Brooke ait jamais eu vraiment conscience de sa beauté, ajouta mon père. Nous avons eu de bons moments ensemble.

Je m'écartai de lui pour le regarder. Ses yeux bleus, beaucoup plus foncés que les miens, étaient tristes et creusés. Au fil du temps, il avait fréquenté des femmes mais ne s'était jamais remarié. Était-il possible qu'il éprouve toujours des sentiments pour elle ? Il avait certes tout plaqué pour se rendre à son chevet, mais j'avais cru que c'était à cause de moi. Mon père m'adorait, c'était donc certainement le cas. Mais était-il aussi venu pour elle ?

— Tu ne m'as jamais beaucoup parlé d'elle.

Il secoua la tête.

— Non, je n'ai pas pu. Pendant longtemps, c'était trop douloureux, et puis je ne voulais pas parler d'elle à cause de toi, ma chérie. Je ne voulais pas que ta mère te manque encore plus.

— Mais elle te manquait, à toi. Ça, je l'ignorais.

— Il fallait que je sois fort pour toi. Un jour, quand tu auras un enfant, tu comprendras.

Je déglutis.

— Manifestement, ma propre mère n'éprouvait pas ce genre de sentiments.

Mon père me saisit par les épaules.

— Écoute, Jade, tu es tout pour moi. Et je sais que ce sera la même chose pour toi quand tu auras des enfants. Ta mère a fait ce qu'elle pouvait, à sa manière. C'est juste qu'elle n'a jamais été satisfaite de la personne qu'elle était.

— Elle m'a abandonnée pour une carrière de top model. Elle aurait pu avoir les deux. Le savait-elle ?

— Je ne crois pas. Je t'ai dit il y a une minute que Brooke n'avait jamais vraiment eu conscience de sa beauté. Je ne parlais pas seulement de son physique. Rien ne la contentait jamais. Elle s'était convaincue qu'elle voulait être Brooke Bailey le top model, et pas Brooke Bailey l'épouse et la mère. Il ne lui est jamais venu à l'esprit qu'elle pouvait être les deux à la fois, ou qu'elle avait en elle ce qu'il fallait pour ça. Sa carrière non plus ne l'a jamais satisfaite et, aussi magnifique qu'elle ait pu être, elle ne se trouvait jamais assez bien.

Repensant au fameux poster en maillot de bain bleu pour lequel elle avait posé quand j'étais ado, je secouai la tête.

— C'est incroyable. Elle est carrément sublime.

Mon père poussa un soupir.

— Même harnachée ainsi à un lit d'hôpital et branchée à toutes ces machines, le visage en bouillie, c'est toujours Brooke Bailey. Et elle est belle.

Je plongeai les yeux dans ceux de mon père et j'y vis bien davantage que la tristesse. Je reconnus le regard que j'avais pour Tallon et lui pour moi. Je vis l'amour. Mon Dieu. Comment avais-je pu être aussi aveuglée ?

Mon père était toujours amoureux de ma mère.

Les larmes me montèrent aux yeux.

— Je suis étonnée qu'ils t'aient laissé entrer. Ils m'ont dit qu'ils n'autorisaient qu'une personne à la fois à son chevet.

— Ils m'ont dit la même chose, mais je les ai suppliés, je leur ai dit que j'étais son mari et qu'elle avait besoin de moi autant que de sa fille. Un pieux mensonge n'a jamais fait de tort à personne.

Oui. Il l'aimait toujours.

— Tu peux rester un peu avec elle ? Il y a quelqu'un qui m'attend.

— Ah bon ? La salle d'attente était vide quand je l'ai traversée.

— Il a dû aller se chercher un soda ou autre chose. Il est accro au Coca.

— Jade, est-ce que tu… vois quelqu'un ?

Ça, c'était la question à mille dollars. Je n'avais même pas pris conscience que je n'avais jamais parlé de Tallon à mon père. Mais je n'en avais pas non plus parlé à Marj – ma meilleure amie et sa sœur – pendant plus de deux mois. Sans trop savoir pourquoi, je n'avais pas l'impression que c'était à moi de le faire.

— Oui, je vois quelqu'un. C'est l'un des frères de Marj.

Mon père écarquilla les yeux.

— Ils sont tellement plus vieux que toi.

Waouh. Alors ça, je ne l'avais pas vu venir. Il y avait beaucoup de choses qu'il aurait pu reprocher à Tallon, mais je n'avais même pas pensé à la différence d'âge. Si cela le chiffonnait, tout ce qui concernait Tallon risquait de lui donner des cauchemars.

— En fait, je ne connaissais que deux des frères de Marj, Jonah et Ryan. Je fréquente celui du milieu, Tallon. Tu te souviens ? Il était en Irak quand Marj et moi étions à l'université.

— Et quel âge a-t-il, Jade ?

Je me tortillai, mal à l'aise, fuyant le regard de mon père.

— Il a trente-cinq ans.

— Tu en as vingt-cinq.

— Oui, je sais, papa. Je sais compter.

— Ça fait une grande différence.

— Tu avais six ans de plus que maman.

Il soupira, s'asseyant auprès d'elle.

— Exact. Et tu vois le résultat.

— Maman avait dix-huit ans quand elle m'a eue. Elle était trop jeune, voilà tout. Elle ne pensait qu'à sa carrière. Une fille de dix-huit ans et une femme de vingt-cinq ans, ce n'est pas du tout la même chose.

Mon père sourit. Il était toujours aussi beau. Ses yeux étaient du bleu sombre de la nuit, si différent du bleu azur que j'avais hérité de ma mère. Mais ses cheveux, épais et mordorés, étaient comme les miens, sauf qu'ils grisonnaient sur les tempes. Il mesurait un mètre quatre-vingts, à peine plus que ma mère.

— C'est vrai, et tu as toujours eu plus de jugeote qu'elle. Pas de doute. Mais tu ne crois pas que c'est un peu tôt après cette histoire avec Colin ?

*Cette histoire avec Colin.* Qui avait carrément viré au fiasco.

— Tu sais quoi, papa ? Je suis vraiment désolée que tu aies perdu tout cet argent pour le mariage et je t'assure que quoiqu'il arrive, je veillerai à ce que tu récupères tout jusqu'au dernier centime.

— Ne te soucie pas de ça. Ce n'était pas ta faute.

— Je le sais. Mais je ne pense pas avoir jamais été vraiment amoureuse de Colin. Nous sommes restés ensemble par habitude. Je crois que ce qui s'est passé devait arriver. J'aurais juste préféré être la première à en prendre conscience.

— Eh bien, si tu es sûre que c'était pour le mieux…

— J'en suis certaine. Et c'est parce que j'ai rencontré quelqu'un d'extraordinaire.

Il poussa un soupir.

— D'accord.

— Écoute, si tu t'inquiètes à propos de Tallon, accompagne-moi donc dans la salle d'attente. Je te le présenterai. Il y est sans doute maintenant.

— Je ferai sa connaissance plus tard, ma chérie. Je voudrais rester un moment avec Brooke. Fais une pause. Va te chercher quelque chose à manger ou à boire.

Je n'avais jamais vu avant une telle expression sur le visage de mon père – tristesse, inquiétude... amour. Pour l'instant, il avait besoin d'être là, au chevet de ma mère, et de lui tenir la main.

— Très bien. Si tu as besoin de moi, envoie-moi un texto. Je ne quitte pas l'hôpital, pas avant demain soir en tout cas. Il faudra que je retourne à Snow Creek pour aller travailler lundi.

— Je n'ai pas arrêté de date de retour, m'informa mon père. Nous avons des projets en cours, mais je fais confiance à mes gars. Ils feront ce qu'il faut. Ils sont au courant de la situation.

Je souris.

— Ce sera chouette de t'avoir ici pendant un moment.

Je plaquai soudain une main sur ma bouche.

— Non pas que je pense qu'il lui faudra beaucoup de temps pour se remettre. Je ne voulais pas...

— Jade, pas de souci. Je sais à quoi m'attendre. Ma place est ici avec toi et Brooke.

Je hochai la tête.

— Envoie-moi un texto si tu as besoin de moi.

Quittant le service des soins intensifs, je me dirigeai vers la salle d'attente. Me blottir contre Tallon, sentir sa chaleur – voilà ce que le docteur m'avait prescrit, ce dont j'avais besoin. Mon père avait besoin de tenir la main de ma mère, et moi j'avais besoin de Tallon.

Mais il n'était pas dans la salle d'attente.

# Chapitre 6

## TALLON

Mon portable bipa. Je sus avant même de le regarder que c'était Jade qui répondait à mon texto.

*Comment ça, tu t'en vas ?*
*Tu m'avais promis de rester.*

Je poussai un soupir. Honnêtement, c'était lâche de ma part, et c'est ce que je lui répondis.

*Je suis désolé, yeux d'azur. Je ne*
*me sens pas encore prêt à rencontrer*
*ton père. Je suis… terrifié.*

Quelques instants s'écoulèrent avant que mon portable bipe à nouveau.

*Très bien. Fais ce que tu as à faire.*

Faisait-elle preuve de compréhension ou était-ce un reproche ? Impossible de le savoir avec ces maudits textos. Je préférai ne pas poser la question.

*Je reviendrai demain soir si tu as besoin
que je te ramène à Snow Creek.*

À nouveau, silence radio pendant quelques minutes. Puis :

*Pas la peine. Mon père me déposera.*

*D'accord.*

Je m'interrompis un instant. Les mots que j'avais eu tant de mal à lui dire me démangeaient à présent le bout des doigts. Pourquoi était-il plus facile de les prononcer à voix haute que de les écrire dans un message ? Je forçai mes doigts à frapper les touches.

*Je t'aime.*

J'attendis quelques minutes, mais elle ne répondit pas. Pas de « Je t'aime aussi ». Je ne pouvais pas lui en vouloir. Je l'abandonnais au moment où elle avait besoin de moi. Mais je devais rentrer au ranch. J'avais demandé à mes frères et à Marj de me retrouver le lendemain et j'avais une chose importante à faire. Et ce que je lui avais écrit n'était pas faux. Je ne me sentais pas encore prêt à rencontrer son père. Oui, j'étais amoureux de Jade, et oui, je voulais passer ma vie avec elle, mais il me restait tant de travail à faire sur moi avant de pouvoir rencontrer l'homme qui l'avait élevée, qui avait façonné la femme merveilleuse qu'elle était ! Pour le moment, je n'étais pas encore assez bien pour sa petite fille chérie. Il ne serait pas dupe.

Une heure plus tard, j'étais de retour au ranch. Marj m'avait envoyé un texto.

*J'ai bien reçu ton message. Je passe la
nuit à Grand Junction, je vais aller voir
Jade et sa mère à l'hôpital. À quelle heure
tu veux qu'on se retrouve tous demain ?
Je m'arrangerai pour être rentrée.*

Je lui répondis dans la foulée.

*Pourquoi ne pas déjeuner ensemble ?*

*Super. Je serai rentrée pour midi. Mais
ne compte pas sur moi pour cuisiner.*

*Pas de problème. Je demanderai
à Felicia de nous préparer un truc.*

Puis j'envoyai un message à mes frères.

*Marj sera au ranch à midi demain. Vous
pourrez venir tous les deux à 11 heures ?*

Le moment était venu.

★ ★ ★

Je dormis d'un sommeil agité, ce qui, en soi, n'avait rien
d'inhabituel. J'avais envoyé quelques messages à Jade pour prendre
des nouvelles, auxquels elle avait répondu de façon laconique, sans le
moindre « Je t'aime ».

Je ne lui en voulais pas. Une fois que tout cela serait derrière moi,
elle comprendrait. Tout ce que j'espérais, c'est qu'elle reste avec moi
jusque-là.

Jonah et Ryan arrivèrent à 11 heures pile. Je m'étais déjà servi un verre de Peach Street.

— Il est un peu tôt, non, Tal ? plaisanta Ryan.

Je poussai un soupir.

— Il y a une raison pour laquelle je vous ai demandé de venir plus tôt. Avant de parler à Marj, il faut que je vous dise exactement ce qui s'est passé.

Ryan sourit.

— On est là pour toi.

Jonah me serra affectueusement l'épaule.

— Tu peux compter sur nous, dit-il.

Je pris une grosse gorgée de whisky et la laissai m'enflammer la gorge.

— Ce ne sera pas facile pour moi, et je préfère vous prévenir : ce ne sera pas facile à entendre pour vous non plus. Mais j'ai franchi une étape capitale dans ma thérapie, vendredi. Et il est temps.

— Fais comme tu le sens, dit Ryan.

Mon petit frère, toujours à me soutenir, sans jamais me mettre la pression. J'étais son héros. Pour la première fois, j'eus le sentiment que peut-être, la foi qu'il avait en moi n'était pas illégitime.

— Je suis prêt. Je vous dois bien ça, les gars, et à moi-même aussi. Servez-vous un verre si besoin et retrouvez-moi sur la terrasse.

Je franchis la porte-fenêtre de la cuisine donnant sur la superbe terrasse en séquoia. Au lieu de m'asseoir à la table, je m'installai sur l'une des chaises longues, près du Jacuzzi. Je tenais au moins à être à l'aise. L'espace d'un instant, je m'imaginai dans le fauteuil inclinable en cuir vert du cabinet du docteur Carmichael. Si je devais m'y cramponner, les accoudoirs en bois de la chaise longue ne seraient pas aussi agréables sous mes doigts que le cuir souple du fauteuil.

Jonah et Ryan me rejoignirent – Joe s'était servi ce qui ressemblait à un gin tonic et Ryan, une cannette de soda.

— Désolé, s'excusa-t-il lorsqu'il suivit mon regard. Je ne me sens pas de boire de l'alcool à 11 heures du matin.

Je hochai la tête. Après tout, ce n'était pas lui qui s'apprêtait à vider son sac.

— Je vous ai demandé de venir avant Marj parce que je ne peux pas tout lui raconter. Pas les détails les plus sordides. Mais je veux que vous sachiez certaines choses. Je ne vous dirai peut-être pas tout, mais vous êtes en droit d'entendre ce qui s'est passé. Et ce qui est arrivé à Luke.

Jonah écarquilla les yeux.

— Tu sais ce qui lui est arrivé ?

— Oui.

Luke Walker avait disparu quelques semaines avant moi. C'était un gamin de mon âge, un maigrichon avec des dents de lapin, qui avait tout du ringard de service. Nous n'étions pas vraiment amis, mais pour une raison qui m'échappait, je m'étais mis en tête de le protéger des brutes qui s'en prenaient constamment à lui à l'école. Jusqu'au jour où il s'était volatilisé. J'avais d'abord pensé que les brutes lui avaient réglé son compte, mais non. Le meilleur ami de Jonah, Bryce Simpson, était le cousin de Luke. Tous les trois, et Ryan aussi, nous avions décidé de découvrir ce qui lui était arrivé.

Je me raclai la gorge.

— Le jour où ils m'ont enlevé, j'ai vu Luke.

— Était-il en vie ? s'enquit Ryan.

Je lâchai un soupir.

— Non, il était déjà mort.

Je marquai une pause, rassemblant mes esprits.

— Le vieux cabanon dans lequel se planquaient deux de ces types, c'est là qu'ils l'avaient enfermé. Je ne sais pas ce qu'ils comptaient faire de lui, si près de sa maison, ni si ma présence a contrecarré leurs plans. Il était déjà mort, mais…

— Mais quoi ? me pressa Jonah.

Je fermai les yeux, mais les images tourbillonnaient comme un kaléidoscope dans mon esprit.

— Ils l'ont découpé en morceaux à coups de hache. Ils… ils m'ont obligé à regarder. Ils menaçaient de me tuer si je criais ou vomissais.

Je rouvris les yeux. Mes frères avaient tous les deux blêmi. Ils ne prononcèrent pas un mot. Que pouvaient-ils dire ?

— Ils ont fourré ce qu'il restait de son cadavre dans un sac-poubelle géant. Je ne sais pas ce qu'ils en ont fait, après. Ils l'ont jeté dans la remorque d'un pick-up, m'ont ligoté les mains et les jambes et balancé sur la banquette arrière. Je crois que j'ai perdu plusieurs fois connaissance pendant le trajet. Je ne sais pas combien de temps ça a duré.

Mes frères ne disaient toujours rien.

— J'ai du mal à me souvenir des détails. Je crois qu'il faisait nuit lorsque nous sommes arrivés à destination. J'avais l'impression que nous avions roulé plusieurs heures.

— Tal, intervint Jonah, la voix fêlée. Si vous avez roulé pendant plusieurs heures, comment as-tu pu retrouver la maison quand tu t'es enfui ?

Je secouai la tête.

— Je n'en ai pas la moindre idée. Beaucoup de choses sont très confuses. Nous y viendrons plus tard. Pour le moment, je veux vous raconter ce que j'ai dit au docteur Carmichael.

Mes frères hochèrent la tête.

— Ils m'ont sorti de la voiture et m'ont délié les pieds, puis ils m'ont poussé à l'intérieur d'une vieille maison et m'ont fait descendre au sous-sol. Je m'étais pissé dessus, mais ça n'avait pas d'importance, parce qu'ils m'ont pris mon pantalon et mon caleçon. Je n'avais plus que mon tee-shirt et une vieille couverture grise miteuse qu'ils m'avaient donnée.

Je m'interrompis à nouveau, fermant très fort les yeux.

— Tout va bien, Tal, dit Ryan d'une voix plus sourde que d'habitude.

Il faisait tant d'efforts pour se montrer fort pour moi. Mon petit frère.

Mais il se trompait. Depuis ce jour, rien n'allait plus dans ma vie. Et si je voulais que les choses s'arrangent un jour, je devais aller jusqu'au bout.

— Il y avait un autre type dans la maison, qui portait aussi une cagoule de ski noire. Ry, tu te souviens qu'ils n'étaient que deux dans la vieille cabane près de chez les Walker.

Ryan acquiesça d'un signe de tête.

— Bref, une fois dans cette cave, j'ai compris pourquoi j'étais là. Ils m'ont tous...

Je déglutis.

— Ils m'ont tous... *violé*, chacun leur tour.

L'expression de mes frères était indéchiffrable. Ils ne paraissaient pas surpris par ma révélation. Mais pourquoi l'auraient-ils été ? Pour quelle autre raison trois psychopathes dégénérés auraient-ils gardé un petit garçon prisonnier pendant plusieurs mois ? Ils le savaient sans doute déjà, ou du moins l'avaient deviné. À mon retour, on m'avait emmené chez le pédiatre pour me faire ausculter sous toutes les coutures, donc mes parents devaient être au courant, même si je n'en avais jamais parlé.

— Quand ils ont eu fini, j'ai vomi. Je n'ai pas pu m'en empêcher. Ils m'ont laissé là et je me suis allongé sur ma couverture. Deux ou trois heures plus tard, je crois, l'un d'eux m'a apporté un verre d'eau et un sandwich, ainsi qu'un vieux pot de peinture vide dans lequel je devais faire mes besoins. J'ai mangé le sandwich et j'ai bu l'eau. Parfois, ils me torturaient en tenant hors de ma portée un joli verre tout propre rempli d'eau glacée. J'en fais encore des cauchemars. Je fais encore des cauchemars à propos de tout ça.

Jonah se racla la gorge.

— C'est parfaitement compréhensible.

Bien sûr que ça l'était. Je regardai mon frère aîné.

— Maintenant que tu connais les détails sordides, tu aurais vraiment préféré être à ma place ?

C'était une question injuste, je le savais. Mais Joe avait toujours regretté de ne pas avoir été là pour me protéger. Je voulais que mes frères se réjouissent d'avoir échappé à ces horreurs. Je ne les souhaitais à aucun d'eux. Je ne les souhaiterais à personne, à part aux trois cinglés qui me les avaient infligées. Eux, j'aurais voulu qu'ils subissent toutes les pires tortures imaginables.

Et je m'y connaissais, niveau torture.

— Je ne sais pas trop quoi répondre à ça, dit Joe.

— Tu n'as qu'à dire que tu es content que ça ne te soit pas arrivé.

Il secoua la tête.

— Je ne peux pas.

Je poussai un soupir. Mon frère aîné luttait contre ses propres démons, j'en avais conscience. J'aurais aimé pouvoir l'aider, mais je n'étais d'aucune utilité à quiconque tant que tout ça me hantait encore.

— Comment t'es-tu enfui ? voulut savoir Ryan.

— Je ne m'en souviens pas vraiment. Il leur arrivait de laisser la porte ouverte et de me mettre au défi de m'échapper. Bien sûr, chaque fois que j'essayais, ils me rattrapaient et me punissaient, alors j'ai fini par abandonner. Un jour, la porte était ouverte alors qu'ils n'étaient pas venus. Je ne sais pas s'ils avaient oublié de la refermer ou si c'était pour une autre raison. Mais je me suis précipité dans l'escalier, seulement vêtu de mon tee-shirt en loques, sans pantalon.

— Mais quand on t'a retrouvé, tu portais tes vêtements, fit remarquer Ryan.

— C'est l'une des choses qui m'échappent. Je me revois montrer les marches, pousser la porte qui était restée entrebâillée, me ruer dehors et puis courir à travers champs. Tout ce dont je me souviens après ça, c'est de m'être retrouvé dans les faubourgs de Snow Creek, tout habillé.

— Tu as peut-être eu un trou de mémoire, suggéra Jonah.

— Peut-être, mais j'avais dix ans. Où aurais-je pu trouver des vêtements ?

Jonah se massa la mâchoire.

— Tu es peut-être entré dans une maison pour demander qu'on t'en donne.

Je secouai la tête.

— Non, ça ne tient pas debout. Si des gens m'avaient trouvé et donné des habits, ils auraient prévenu papa, ou au moins la police.

— Tu as raison, répondit Ryan.

— Y a-t-il autre chose que tu veuilles nous dire ? me demanda Jonah.

— Non, vous devinez sans doute le reste. Ça s'est produit de nombreuses fois. J'ai arrêté de compter. Pourquoi aurais-je voulu me rappeler ça ? Certaines choses sont floues, mais ce qui ne l'est pas, c'est ce qu'ils m'ont fait subir. Je me souviens de la douleur et de l'humiliation dans les moindres détails. Et malheureusement, cela a fait de moi l'homme que je suis aujourd'hui.

— Tu te trompes, Tal, objecta Ryan. Ces deux mois ne te définissent pas. Tu es quelqu'un de bien. Tu t'es comporté en héros en Irak, et tu es un héros à mes yeux.

— Juste parce que je t'ai sauvé ce jour-là. Et tu peux me croire, je suis foutrement content que tu aies pu t'échapper.

Naturellement, mon frère cadet ne répondit pas. Aucun d'eux n'était capable d'admettre qu'ils étaient soulagés de ne pas avoir été à ma place. Je ne les comprenais pas, mais ce n'était peut-être pas mon rôle. Ils avaient leurs propres problèmes à régler, surtout Jonah. La culpabilité l'accablait depuis ce qui m'était arrivé ce jour-là. J'avais essayé de soulager sa conscience, sans succès.

— Qu'est-ce qu'on raconte à Marj ? voulut savoir Joe.

Je poussai un soupir.

— Le strict minimum, et certainement pas la partie où ils ont massacré Luke. Je ne veux pas charger notre petite sœur plus que nécessaire. Désolé de vous avoir imposé ça.

Joe secoua la tête.

— Non, Tal, il fallait qu'on le sache.

C'était vrai. D'une certaine façon, ils avaient traversé cette épreuve à mes côtés.

— Les gars, qu'est-ce que vous diriez de participer à mes séances de thérapie, à l'occasion ? Ou de consulter individuellement ? Je suis sûr que le docteur Carmichael vous prendrait volontiers comme patients.

— Tout ce que tu voudras, répondit Ryan.

— Ryan, il va falloir que tu arrêtes de toujours t'en remettre à moi. J'ai enfin pris la décision de me faire aider, et j'ai bien l'intention de guérir – pas seulement pour vous, les gars, ni pour Jade, mais pour moi-même. Et vous devriez en faire autant. Vous n'avez peut-être pas subi la même chose que moi, mais ça vous pèse aussi à votre façon. Ce n'est pas à moi de prendre cette décision, ça doit venir de vous.

Jonah se fendit d'un petit sourire.

— Tu es plein de sagesse, Tal.

Moi, plein de sagesse ? Il se fichait de moi ? Je n'avais rien d'un sage. Je secouai la tête.

— Non, écoute-moi, reprit Jonah. Il t'a peut-être fallu du temps, mais tu es enfin parvenu à la conclusion que tu avais besoin d'aide. Il n'y a aucune honte à ça, et tu en as conscience à présent. Il n'y a pas de honte à avoir pour ce qui t'est arrivé. Ce sont ceux qui t'ont fait ça qui devraient avoir honte.

Tandis que j'écoutais les paroles de Joe, je repensais à celles du docteur Carmichael, quelques jours plus tôt. Elle avait dit qu'objectivement, je savais que rien de tout cela n'était ma faute, et elle avait raison. Le problème ne venait pas de mon esprit conscient, mais de mon subconscient, et j'allais devoir y remédier.

— Salut, les garçons ! lança Marj en nous rejoignant sur la terrasse.

Je me levai.

— Salut. Comment va la mère de Jade ?

Marj lâcha un soupir.

— Toujours pareil. Jade va rentrer ce soir parce qu'elle doit aller travailler demain matin. Je te préviens, elle est un peu fâchée après toi.

— Je sais. Mais son père est avec elle et j'avais des trucs à régler ici. Un jour, elle comprendra.

— Ah, oui ? Quand ça ?

Ma sœur planta les mains sur ses hanches. Elle avait un sacré tempérament.

Je soupirai.

— Bon, assieds-toi, et je vais te le dire.

Marj jeta un coup d'œil au verre de whisky vide devant moi.

— Déjà en train de boire à midi ?

— Oui, mais je m'arrête là. Je n'ai bu qu'un verre.

Elle tira une chaise longue et s'y assit.

— De quoi vous vouliez me parler ?

Pendant un moment, aucun de nous ne répondit, mais lorsque Joe ouvrit la bouche, je l'interrompis en levant la main.

— Non, Joe. C'est à moi de le faire.

Je me tournai vers Marj.

— Tes soupçons étaient justifiés. Nous t'avons effectivement caché quelque chose. C'était ma décision, parce que c'est quelque chose qui m'est arrivé.

— Oh, mon Dieu. Tu vas bien ?

Je m'éclaircis la voix.

— Oui, ça va. Du moins, je suis en bonne voie.

Elle pâlit.

— Qu'est-ce que tu veux dire ? Tallon, tu me fais peur.

— Tu te rappelles ces articles de journaux que tu as trouvés chez Joe ? Au sujet des enlèvements d'enfants qui ont eu lieu dans les environs il y a vingt-cinq ans ?

Ses yeux se firent ronds comme des soucoupes.

— Un autre enfant a été enlevé, dont on n'a jamais parlé dans la presse.

Je fermai les paupières pour m'obliger à rester calme.

— Cet enfant, c'était moi.

# Chapitre 7

JADE

J'avais laissé mon père quelques instants pour aller nous chercher quelque chose à manger à la cafétéria. Alors que je remontais avec des sandwiches, mon portable sonna, affichant un numéro inconnu. J'étais tellement fatiguée et à bout de forces que je faillis ne pas répondre, mais ma curiosité l'emporta.

— Allô ?

— Jade ?

— Oui. Qui est à l'appareil ?

— C'est encore Ted Morse.

— Comment avez-vous eu ce numéro ?

— Je l'ai trouvé dans les affaires de mon fils.

Un froid m'enveloppa.

— Colin est revenu ?

— Non, répliqua Ted d'un ton accusateur. Et il semblerait que vous êtes la dernière personne à l'avoir vu.

— Je vous assure que je n'ai aucune idée de l'endroit où il peut être, Ted.

L'inquiétude me saisit. Je n'aimais plus Colin. Franchement, je n'éprouvais même plus d'affection pour lui. Mais je ne lui souhaitais aucun mal.

— J'ai appelé la police. Elle va vous contacter pour vous interroger, puisque vous êtes la dernière personne à l'avoir vu en vie.

En vie ? Pensait-il que Colin était mort ? Mon cœur s'accéléra.

— C'est inexact. Il y avait trois autres personnes avec moi la dernière fois que nous l'avons vu.

Je remerciai le ciel que Tallon et ses frères soient mon alibi. Les intonations de Ted Morse me donnaient l'impression qu'il essayait de me mettre la disparition de son fils sur le dos.

— Ah oui ? Et qui sont ces personnes ?

— Tallon Steel et ses frères, Jonah et Ryan Steel. Colin et moi venions de sortir d'un restaurant et les frères Steel quittaient au même moment le bar de l'autre côté de la rue.

Ted émit un reniflement de dédain dans le téléphone.

— Ivres, sans aucun doute.

— Non, ils n'étaient *pas* ivres. En outre, c'était un vendredi soir et il faisait bon. Il y avait des gens dans la rue.

— Et c'est la dernière fois que vous avez vu mon fils ?

Son ton ne me plaisait pas. Ted Morse avait de l'entregent et en tant qu'avocate, je savais que moins j'en dirais, mieux je me porterais.

— Ted, si vous voulez parler de ça, il faudra que vous me rappeliez à un autre moment. Je suis à l'hôpital. Ma mère a eu un accident et elle est actuellement en soins intensifs.

Le silence me répondit. Puis :

— Je suis désolé de l'apprendre.

Pourtant, rien dans sa voix n'exprimait la moindre empathie.

— Vous comprendrez donc que je ne peux pas vous parler plus longtemps. Au revoir, Ted.

Je raccrochai.

Marj avait quitté l'hôpital deux heures plus tôt en me promettant de remonter les bretelles à Tallon pour m'avoir laissée tomber. Je mourais d'envie de l'appeler juste pour entendre sa voix, mais je rejoignis mon père dans la salle d'attente.

— Il n'y avait pas grand-chose. J'ai pris des sandwiches jambon-fromage.

— Merci, ma chérie.

— De rien.

Je sortis le mien de son emballage et mordis dedans. Je ne voulais pas parler de Ted et de Colin, aussi préférai-je aborder un autre sujet qui me trottait dans la tête.

— Je n'en reviens toujours pas que le petit ami de maman ait pu l'abandonner ici.

— C'est très bizarre, oui, reconnut mon père. Qu'est-ce que tu sais de lui ?

— Pas grand-chose. Elle me l'a présenté comme un sénateur de l'Iowa. Je n'ai jamais entendu parler de lui. Mais je ne sais pas vraiment qui sont les sénateurs dans l'Iowa. Pour être franche, je ne sais pas ce que maman lui trouve. Il est plutôt pas mal, la peau mate et de beaux cheveux, bien fait de sa personne. Mais il dégage quelque chose... d'obséquieux ? Je ne peux pas vraiment mettre le doigt dessus, mais quelque chose n'est pas net chez lui.

— Tu l'as trouvé antipathique ?

— Pas vraiment. J'ai juste dîné avec lui et on est allés nager dans la piscine. Il s'est montré tout à fait poli avec moi et il avait un superbe tatouage – un phénix sur l'avant-bras. Tu sais que j'ai toujours voulu me faire tatouer, et ce dessin représentait parfaitement ma vie actuelle.

Mon père secoua la tête.

— Je n'arriverai pas à te faire changer d'idée à propos de ce tatouage, hein ?

— Désolée, papa, répondis-je avec un sourire. Tôt ou tard, je me ferai tatouer. Je ne sais pas quand, cela dit. Initialement, je comptais venir à Grand Junction ce week-end pour faire le tour des salons de tatouage mais l'accident de maman a chamboulé mes plans.

— Je suis désolé de voir ta mère en souffrance dans ce lit d'hôpital, mais si ça a pu t'empêcher de te faire tatouer, c'est au moins un point positif.

Il me sourit.

— Ce n'est que partie remise, papa.

La réaction de Tallon avait été terrible quand j'avais parlé de me faire tatouer. C'était le dessin – le phénix – qui l'avait mis dans tous ses états. Qu'avait-il contre ce phénix ?

Mais ce n'était pas le moment de me préoccuper de ça. J'étais sur le point de prendre une nouvelle bouchée de mon sandwich et de revenir à Nico Kostas quand l'une des nouvelles infirmières de service apparut.

— Monsieur Roberts, mademoiselle Roberts, madame Bailey a repris connaissance.

Je me levai si vite que je renversai mon café.

— Zut, je suis désolée.

L'infirmière me sourit.

— Ça arrive tout le temps ici. Je ne peux laisser entrer que l'un d'entre vous pour le moment.

Je regardai mon père.

— Vas-y, Jade. C'est ta mère.

Hochant la tête, je suivis l'infirmière. Ma mère était toujours reliée à toutes les machines et ses yeux n'étaient toujours que deux fentes, mais ils étaient moins tuméfiés. Inouï ce qu'une journée pouvait faire.

— Rien n'a changé.

— Elle est consciente. Parlez-lui. Dites-lui que vous êtes là.

Je pris la main de ma mère.

— Maman ?

Ses paupières palpitèrent imperceptiblement.

— Maman, c'est Jade. Je suis là. Tu as eu un accident, mais tout va bien aller.

Ses paupières frémirent de nouveau et ses lèvres bougèrent. Je ne parvins pas à saisir ce qu'elle disait.

— Ne t'inquiète pas. Tu n'as pas besoin d'essayer de parler. Je veux juste que tu saches que je suis là. Papa est là aussi. Tout ira bien. Elle bougea de nouveau les lèvres et prononça un mot d'une voix rauque.

— Nico.

Je résistai à l'envie de lever les yeux au ciel devant l'infirmière. Sa fille était là, son ex-mari était là, mais la seule personne qui l'intéressait était le type qui n'avait plus donné signe de vie depuis le premier soir.

— Nico sera là bientôt, maman.

C'était très certainement un mensonge éhonté, mais je ne voulais pas l'agiter.

Elle referma les yeux. Je lui étreignis la main, sans obtenir aucune réaction de sa part.

— On dirait qu'elle a replongé dans l'inconscience, dit l'infirmière, mais c'était un excellent signe. Les médecins sont très satisfaits de ses progrès.

Je laissai échapper un soupir de soulagement.

— Est-ce que je peux faire entrer mon père ?

— Il peut venir quelques minutes, mais elle n'est plus lucide.

Je retournai dans la salle d'attente et mis mon père au courant de ce qui s'était passé.

— J'aimerais bien rencontrer ce Nico, dit-il.

— Je suis sûre qu'on le reverra. Les mauvaises herbes reviennent toujours.

**73**

★ ★ ★

J'étais épuisée lorsque j'arrivai au bureau le lendemain matin. Mon père m'avait reconduite à Snow Creek à 21 heures avant de retourner à Grand Junction, où il avait pris une chambre dans un motel. Je saluai rapidement Michelle et David, puis m'installai à mon bureau et consultai mon agenda pour voir ce qui m'attendait. J'avais une séance à huis clos avec le conseil municipal dans l'après-midi, mais rien de prévu ce matin. J'expédiai un peu de paperasse administrative, puis repris mes recherches. Je venais de me connecter à Internet quand Michelle passa la tête dans mon bureau.

— Jade ?

— Oui ?

— Vous avez eu des nouvelles de Larry aujourd'hui ?

Je secouai la tête.

— Non, je ne l'ai pas vu depuis vendredi.

L'image de sa silhouette dans le couloir de l'hôpital en pleine conversation avec Nico me revint en mémoire. J'étais persuadée que c'était lui, même s'il ne portait pas la tenue – le short et les tongs – dans laquelle je l'avais vu pour la dernière fois au bureau. Cela dit, il était près de minuit quand je l'avais aperçu à l'hôpital.

— Il n'a pas appelé et je n'arrive pas à le joindre sur son portable ou chez lui. Il est attendu au tribunal dans dix minutes, Jade. Vous pouvez le remplacer ?

— Quoi ?

Je me crispai.

— C'est juste le rôle du lundi matin. Vous trouverez sûrement tous les dossiers sur le bureau de Larry.

— Vous plaisantez ? Je ne suis pas préparée…

— Tant pis, Jade. Vous devez y aller à sa place. Nous n'avons pas d'autre solution.

Je me levai, agitée.

— D'accord, d'accord. Cherchez tous les dossiers dans le bureau de Larry. Je fonce au tribunal et vous m'apportez les informations le plus vite possible. Je vais expliquer la situation à la juge pour ne pas passer pour une parfaite idiote.

La magistrate se soucierait sans doute fort peu que Larry m'ait laissée en plan. Elle attendait un représentant du ministère public au tribunal, point barre. Le rôle du lundi était incontournable et si le procureur n'était pas disponible pour l'établir, eh bien son substitut devait le remplacer. Et, malheureusement, c'était moi.

Je baissai les yeux sur mon pantalon beige et mon caraco en soie. Très moyen comme tenue pour le tribunal. Si j'avais su que je devais y aller, j'aurais porté un tailleur. Par chance, un cardigan noir drapait le dossier de mon fauteuil. Il faudrait que ça fasse l'affaire.

— Apportez-moi les dossiers dès que possible, répétai-je à Michelle. J'y vais.

Maudit soit Larry en tout cas.

★ ★ ★

Quelques heures plus tard, c'était terminé. Je m'étais fait vertement tancer par la juge Gonzalez qui avait souligné l'importance de la préparation. Que le procureur de la ville ait mis les voiles était le cadet de ses soucis.

Les juges étaient comme ça. Je promis d'être mieux préparée à l'avenir.

— Michelle, appelai-je une fois de retour au bureau. À compter d'aujourd'hui, je veux être informée de toutes les affaires. Du calendrier des audiences. Que Larry soit en ville ou non, je veux qu'elles soient notées dans mon agenda et je veux être au courant des

**75**

tenants et aboutissants. Veillez à ce que ces informations me soient communiquées, s'il vous plaît.

J'entrai dans mon bureau et claquai la porte derrière moi. Je n'avais pas voulu être dure vis-à-vis de Michelle. Elle n'était pas plus fautive que moi. Mais se faire enguirlander par un magistrat n'était jamais une bonne chose pour un avocat. La juge Gonzalez s'était montrée accommodante dans l'affaire de Tallon et elle était parfaitement en droit de s'attendre à ce que je sois prête à remplacer le procureur. Cela ne se reproduirait pas.

Je m'assis et saisis le combiné de ma ligne fixe pour appeler mon père, lorsque mon portable sonna. Encore un numéro que je ne reconnaissais pas.

— Allô ?

— Je cherche Jade Roberts.

— Vous l'avez trouvée. Qui est à l'appareil ?

— Je suis l'inspecteur George Santos de la police de Denver. J'enquête sur la disparition de Colin Morse.

Merde. C'était le bouquet.

— J'ai bien peur de ne pas pouvoir vous aider.

— Nous avons cru comprendre que vous étiez la dernière personne à avoir vu monsieur Morse.

— Je suis l'une des quatre personnes à l'avoir vu ce soir-là. Trois autres personnes étaient avec moi et beaucoup de gens flânaient dans les rues ce vendredi soir.

— Nous nous sommes entretenus avec les trois officiers de police du bureau de Snow Creek.

Il émit un grognement dédaigneux.

— L'un de leurs distingués représentants va venir vous interroger, madame Roberts.

— Je peux à peine contenir mon impatience, répondis-je d'un ton sarcastique.

La ramener avec un flic n'était jamais avisé, je le savais, mais franchement, là tout de suite, cette histoire n'était pas une priorité pour moi. J'espérais que Colin allait bien mais j'avais trop de choses sur le feu par ailleurs pour m'inquiéter outre mesure. Ma journée de travail terminée, tout ce que je voulais, c'était prendre des nouvelles de ma mère, puis aller voir Tallon.

Pouvais-je me permettre d'appeler Marj pour lui demander de me préparer un de ses succulents dîners ? Je ne l'aurais pas volé. Et je n'aurais pas volé non plus une bonne dose de Tallon.

Je lui en voulais toujours de m'avoir laissée tomber samedi. Mais peut-être n'était-il réellement pas prêt à rencontrer mon père.

Peut-être qu'il ne m'aimait pas autant que je l'aimais.

Cette pensée était douloureuse, comme un coup de poignard dans le cœur, mais Tallon était ce qu'il était. Quelque chose le minait et j'avais beau désirer l'aider de toute mon âme, il fallait d'abord qu'il m'y autorise.

Je tendis de nouveau la main vers le téléphone sur mon bureau pour appeler mon père quand un coup fut frappé à la porte. Bonté divine, est-ce que cette journée finirait un jour ?

— Entrez.

C'était Michelle, accompagnée d'un policier que je reconnus.

— Jade, l'officier Dugan veut vous parler.

— Très bien. Entrez, officier Dugan.

J'indiquai l'une des chaises.

— Asseyez-vous.

— Je viens pour…

Je levai une main.

— Je sais pourquoi vous êtes ici. J'ai eu une conversation téléphonique avec la police de Denver. Allez-y, posez-moi vos questions. Mais je ne sais pas grand-chose.

— Je comprends. Quand avez-vous vu monsieur Morse pour la dernière fois ?

— Il m'a invitée à dîner vendredi soir, il y a deux semaines environ. Alors que nous sortions de chez Enzio, les frères Steel sortaient de chez Murphy. Nous avons tous bavardé un moment, puis Colin est parti de son côté.

« Bavarder » n'était pas le terme exact pour décrire ce qui s'était passé, mais je lui avais dit la vérité. Personne n'en était venu aux mains, Dieu merci, même si des menaces avaient été échangées.

— Il a indiqué où il allait ?

— Non. J'ai supposé qu'il retournait là où il séjournait à Grand Junction. Il m'a dit qu'il serait au tribunal le lundi matin, mais il n'est pas venu.

— Tallon Steel et lui ont-ils échangé des mots ?

J'étais un officier judiciaire, je ne pouvais pas mentir à un officier de police. Et ce n'était pas nécessaire de toute façon. Nous avions de nombreux témoins.

— Oui, ils ont échangé des mots.

— Quel genre de mots ?

— Tallon n'était pas ravi de voir Colin, de toute évidence. Et ses frères non plus. Je ne me souviens pas de leurs paroles exactes.

— Est-ce que l'un des frères Steel a porté la main sur lui ?

Je fermai les yeux, fouillant ma mémoire. Tallon avait-il empoigné Colin ? Non. Jonah et lui avaient tous les deux eu des gestes menaçants, mais ils ne l'avaient pas touché.

Dieu merci.

— Non.

— Bien.

Steve semblait visiblement soulagé.

— Quels ont été les derniers mots de Colin Morse avant qu'il s'en aille ?

— Je ne m'en souviens pas précisément, bien sûr, mais il a dit qu'on se reverrait au tribunal le lundi.

— Et il n'est pas venu.

— C'est ça.

— Avez-vous autre chose à ajouter ?

Je secouai la tête.

— C'est tout ce que je sais, officier.

— Vous pouvez m'appeler Steve, dit-il en souriant, et je lui rendis son sourire.

— Très bien, Steve. Moi, c'est Jade.

— OK, Jade.

Sa lèvre trembla légèrement. Était-il nerveux ?

— Euh… est-ce que vous voulez bien prendre un verre avec moi après le travail ?

# Chapitre 8

## TALLON

— Hier, nous avons révélé à ma sœur ce qui m'est arrivé.

Je me cramponnais aux accoudoirs, désormais familiers, du fauteuil inclinable en cuir vert du cabinet du docteur Carmichael.

— Et comment l'a-t-elle pris ?

— Comme je m'y attendais. Elle était en colère et vexée qu'aucun de nous ne lui en ait parlé plus tôt. Elle a posé beaucoup de questions, elle voulait connaître tous les détails – des détails que je ne me sentais pas de partager avec elle.

— Alors, qu'avez-vous fait ?

— Je ne voulais pas lui mentir. Je venais de confier certains de ces détails à mes frères un peu plus tôt. Je préférerais ne pas infliger toutes ces horreurs à Marjorie, alors j'ai prétendu ne pas me souvenir de grand-chose. Elle a eu l'air de me croire.

— Pourquoi la pensiez-vous incapable de supporter ces détails ?

— Ce n'est pas ça. Mais c'est ma petite sœur. Je préférais les lui *épargner*, vous voyez ce que je veux dire ?

Le docteur Carmichael hocha la tête.

— Je comprends. À part ça, comment a-t-elle réagi ?

— Elle a pleuré. Elle a dit qu'elle comprenait beaucoup de choses, à présent. Et bien sûr, elle voulait tout raconter à…

— À qui ?

— À Jade. C'est sa meilleure amie.

Le docteur Carmichael s'éclaircit la voix.

— Que lui avez-vous répondu ?

— Je lui ai fait promettre de tenir sa langue.

— A-t-elle promis ?

— Oui, mais à une condition.

— Laquelle ?

— Que ce soit *moi* qui le lui dise. Quand je serai prêt.

— Ça me semble une bonne idée. Je pense aussi que vous devez le dire à Jade, mais rien ne presse.

— Comment pouvez-vous affirmer ça ? Je suis amoureux de cette femme. Et elle a dit qu'elle m'aimait aussi. Tous les jours, j'ai peine à croire qu'une personne aussi merveilleuse puisse m'aimer.

— C'est précisément la raison, Tallon. Vous avez un long chemin à parcourir jusqu'à la guérison. Vous devez d'abord comprendre que vous méritez son amour, et vous n'y êtes pas encore.

Le docteur Carmichael avait raison. J'étais loin du compte.

— C'est vrai.

— Alors, y a-t-il quelque chose dont vous aimeriez parler aujourd'hui ?

Que dire ?

— Je ne sais même pas par où commencer, Doc. Il s'est passé tant de choses, et elles ont eu un tel impact sur moi.

— La dernière fois, vous avez dit que l'homme au tatouage de phénix semblait être le meneur.

— Oui, c'est peut-être par là qu'il faut commencer, opinai-je. Le phénix.

— Que pouvez-vous me dire à ce sujet ?

— Je suis tombé sur le même dessin, récemment.

— Oh ? Où ça ?

Je pris une inspiration que je relâchai lentement.

— Jade. Elle s'apprêtait à se faire tatouer une image presque identique dans le bas du dos.

Le docteur Carmichael écarquilla les yeux.

— Vraiment ? Comment lui est venue cette idée ?

Je me massai les tempes dans l'espoir de soulager mon mal de tête naissant.

— Allez savoir. Elle a dit qu'elle avait trouvé le modèle dans l'un des classeurs du salon de tatouage de Snow Creek. J'y suis allé, et ce foutu dessin était une copie quasi conforme du phénix de mes souvenirs.

— C'est curieux que Jade ait choisi celle-ci.

Je hochai la tête.

— Plus que curieux. Elle a dit que le phénix était un symbole pour elle. Son ex-fiancé l'a abandonnée au pied de l'autel, elle a été humiliée, et le phénix renaissant de ses cendres représentait un renouveau, une vie meilleure pour elle.

— En effet, ça se tient, répondit le docteur Carmichael.

— Moi, je n'ai pas compris.

— Vous n'avez pas compris ? Ou bien étiez-vous tellement contrarié par cette image que vous n'avez même pas pensé qu'elle puisse avoir un sens ?

Bon sang, je détestais quand elle avait raison.

— Cette image… c'est difficile pour moi de…

Je fermai les yeux, cramponné aux accoudoirs du fauteuil en cuir.

★ ★ ★

*Une fois de plus, je me concentrai sur l'oiseau coloré tatoué sur son avant-bras – la seule façon de me retenir de hurler ou de vider le contenu de mon estomac. C'était une menace, mais c'était aussi mon refuge.*

— *Ouais, petit, c'est ça, prends tout, dit le Tatoué qui allait et venait en moi.*

*Voix Grave et l'autre ricanaient, me raillaient.*

— *C'est ça, mets-la-lui bien profond. Tu sais qu'il aime se faire enculer.*

*Je gardais les yeux rivés sur l'oiseau. J'avais appris à ne pas les contredire. Pensaient-ils vraiment que j'aimais ça ? Quelqu'un pouvait-il aimer ce qu'ils me faisaient ? Je détestais ça, du plus profond de mon âme. Mais je faisais ce qu'il fallait pour survivre. Les premières fois, lorsque j'avais crié « Non, je déteste ça ! », je l'avais payé d'une bonne raclée.*

*Pourquoi essayer de survivre ? La plupart du temps, j'aurais préféré être mort. Et pourtant, chaque fois qu'ils venaient, je faisais ce que j'avais à faire pour sauver ma peau.*

*Chaque putain de fois.*

★ ★ ★

J'ouvris les yeux.

— Depuis, ce phénix fait partie de ma vie.

— Expliquez-moi.

Je déglutis.

— Je croyais me rappeler ce qui m'est arrivé dans les moindres détails, aussi sordides soient-ils. Mais pour être honnête, Doc, de nouveaux souvenirs refont constamment surface. Par exemple, je me suis souvenu qu'il manquait un orteil à l'un de ces types. Comment avais-je pu l'oublier ?

— Tallon, votre esprit réagit de façon à vous protéger. Vous aviez dix ans. Il est tout à fait naturel que vous ayez refoulé certaines choses.

— Mais pourquoi choisir de refouler un détail aussi inoffensif que le nombre d'orteils de l'un de mes ravisseurs, alors que je me souviens si bien des horreurs qu'ils m'ont fait subir ?

— Je ne sais pas, mais nous *allons* le découvrir. Vous n'avez pas oublié le phénix.

Exact.

— Pendant longtemps, le phénix était mon unique souvenir de cette expérience. Excepté les violences, bien sûr. J'ai bien peur qu'elles soient restées gravées dans mon esprit. J'aurais préféré les oublier.

— Il y a des désavantages à oublier ou à refouler certaines choses, expliqua le docteur. En vérité, le fait de vous souvenir vous aidera à guérir.

— Vous savez sûrement de quoi vous parlez, mais je peux vous assurer que ces souvenirs sont une torture.

— La torture, c'est ce qui vous est arrivé. Vous en souvenir vous aidera à aller de l'avant.

— J'espère que vous avez raison.

— Revenons au phénix. C'était votre unique souvenir à propos de vos ravisseurs. Pourquoi, à votre avis ?

Je commençais tout juste à résoudre l'énigme du phénix. Tant d'années s'étaient écoulées. J'avais appelé mon cheval Phénix, bon sang ! Et épinglé un poster de phénix sur le mur de ma chambre. Pourtant, à mes yeux, cet oiseau représentait l'enfer.

— Le phénix était la seule constante dans tout ça, Doc. Le seul détail que je me rappelais concernant ce type. Lorsqu'ils… m'agressaient, je n'avais pas le droit de crier, ou je me prenais une raclée. Même traitement si je vomissais. En gros, tout ce que j'avais le droit de faire, c'était d'encaisser comme un homme, pour reprendre leurs mots. Alors, je devais me concentrer sur quelque chose, et j'ai choisi le phénix sur son avant-bras.

— Donc, d'une certaine façon, ce phénix est devenu un refuge pour vous.

— Je ne sais pas si je dirais ça.

— Pourquoi ?

— Parce qu'il était associé à celui qui se montrait le plus dur avec moi, le plus mauvais, le meneur des trois. Il était sur son corps.

— Et pourtant, il vous procurait une échappatoire.

— Peut-être. Il me permettait au moins de me concentrer sur quelque chose. Mais attendez le plus bizarre : cinq ans plus tard, pour mes quinze ans, mon père m'a offert un étalon magnifique, au poil luisant, noir comme la nuit. Je l'ai baptisé Phénix.

Le docteur Carmichael enroula une mèche de cheveux blonds autour de son doigt.

— Vraiment ? Pourquoi Phénix ?

— Franchement, je n'y avais jamais vraiment réfléchi, jusqu'ici. Je trouvais simplement que ce nom lui allait bien.

— C'était sans doute le cas, mais vous aviez une autre raison de donner à votre cheval le nom d'une image que vous détestiez. Cette raison, c'est qu'en vérité, vous ne la détestiez pas. Pas totalement.

— Oh, si, vous pouvez me croire.

— Je vous crois. Une partie de vous la détestait. Elle représentait l'enfer, à vos yeux, mais aussi votre échappatoire. Et quel meilleur nom pour un superbe étalon qui pouvait filer comme le vent, et vous emmener vers la liberté ?

Waouh. Révélation. Elle avait raison. Je le savais au plus profond de moi-même, mais...

— Je ne comprends pas.

— Cela viendra avec le temps. Faites-moi confiance. C'est parfaitement logique.

— Mais quand j'étais tout seul, la nuit, dans le noir, les murs semblaient se refermer sur moi. Parfois, ils me parlaient. Je sais que tout était dans ma tête, mais à l'époque, ça me paraissait réel. Et quelquefois, ce n'étaient pas seulement les murs, mais le phénix aussi. Il se moquait de moi.

— C'était le phénix qui symbolisait l'enfer. Mais le nom que vous avez donné à votre cheval était le phénix qui représentait votre échappatoire.

— Je comprends bien ce que vous dites, Doc. C'est effectivement logique. Mais une logique qui m'échappe. Comment une même image peut-elle avoir deux significations contradictoires à mes yeux ?

— Parce que c'était déjà le cas à l'époque. Cela se produit assez fréquemment.

Je serrai les dents.

— Si vous le dites.

— Je peux vous l'assurer, Tallon. Il est tout à fait logique que vous ayez donné à votre cheval – sur le dos duquel vous vous échappiez sans doute de nombreuses heures durant, filant au grand galop – un nom qui rappelle la seule chose qui vous permettait de vous évader pendant votre captivité, même si la chose en question représentait aussi le contraire à vos yeux.

— J'aimerais mieux que cette image n'ait aucune signification pour moi.

— Et moi, j'aimerais mieux que personne ne connaisse les souffrances de la maladie mentale. Bien sûr, si c'était le cas, je devrais fermer boutique.

Elle m'adressa un sourire, que je lui rendis sans grande conviction.

— Bien vu.

— Alors, vous avez dit que Jade s'apprêtait à se faire tatouer et qu'elle a choisi cette même image par hasard.

— Oui. Heureusement, elle n'a eu que le temps de se faire transférer le dessin à l'encre et je lui ai dit qu'il n'était pas question qu'elle se fasse tatouer.

— Comment a-t-elle réagi ?

— Mal. Mais sur le moment, c'était le cadet de mes soucis. Je suis remonté jusqu'au tatoueur qui avait réalisé l'original. Mais c'était il y a vingt-cinq ans, alors il ne se souvenait plus de son client. En revanche, il a bien affirmé que c'était l'un de ses dessins.

— Mais il est possible que quelqu'un d'autre ait réalisé le même modèle, ou un dessin similaire.

— Oui, c'est possible. Mais ce tatouage a été fait à Snow Creek, là où j'ai été enlevé.

— Je vois. Donc vous avez rencontré l'homme qui a réalisé ce tatouage.

— Oui. Comme je l'ai dit, il ne se souvient pas à qui il l'a fait. Il dit qu'il était défoncé la moitié du temps à l'époque.

— Est-ce qu'il a gardé des archives ?

— Je n'en sais rien. Je lui ai demandé de vérifier et il est censé me recontacter. Je vais lui mettre un peu la pression.

— Eh bien, c'est une piste. Avez-vous finalement décidé d'essayer de retrouver la trace de ces hommes ? Vous semblez changer d'avis régulièrement.

Je lâchai un soupir.

— Franchement, je n'en sais rien, Doc. J'aimerais les voir payer pour ce qu'ils m'ont fait. Et comme je vous l'ai dit, j'ai rêvé plus d'une fois de rendre justice à ma façon.

Je levai une main.

— Oui, je sais. Je ne le ferai pas. J'ai passé assez de ma vie en captivité, je ne veux pas finir mes jours en prison.

— Sage idée.

— Mes frères tiennent vraiment à ce que j'essaie de les retrouver. Eux aussi aimeraient les voir derrière les barreaux.

— Je les comprends, dit le docteur Carmichael.

— Je pourrais sans doute mettre quelques-uns des meilleurs détectives privés sur le coup. Dieu sait que j'en ai les moyens.

— Qu'est-ce qui vous retient, alors ?

Bonne question. Qu'est-ce qui me retenait ? Et meilleure question encore : pourquoi ne l'avais-je pas encore fait ?

— Vous devez comprendre que ma décision de déterrer et d'affronter mon passé est encore très récente.

— Je comprends très bien. Mais maintenant que nous avons commencé, il est peut-être temps d'engager ces détectives privés.

Elle avait raison.

— Oui, peut-être.

— Notre séance touche à sa fin, Tallon, annonça le docteur Carmichael.

Extirpant mon portable de ma poche, je consultai l'écran. Je l'avais mis en mode silencieux pendant la séance, et je découvris un message de Jade.

*Il faut que je te voie. Je viendrai*
*au ranch après le travail.*

# Chapitre 9

## JADE

Tallon n'avait pas répondu à mon message mais je décidai de me rendre au ranch malgré tout. J'avais tenté de décliner aussi naturellement que possible l'invitation de Steve Dugan. Je lui avais expliqué que je me remettais d'une rupture difficile survenue quelques mois plus tôt et que je n'étais pas encore prête à sortir avec quelqu'un d'autre. Je brûlais d'envie de lui dire que j'étais déjà prise, mais Tallon et moi n'avions pas encore affiché notre relation et je ne savais pas vraiment ce qu'il en pensait. Je préférais qu'on en parle d'abord.

Ce fut Marj qui vint m'ouvrir quand je frappai à la porte. Quelque chose clochait. Elle avait l'air bizarre.

— Ça va ? lui demandai-je.

— Entre.

Pas de réponse à ma question.

— Marj…

Elle soupira.

— On a eu une journée difficile.

— Ah bon ? Tout va bien au ranch ?

Elle se mordit la lèvre inférieure.

— Oui, c'est juste…

Elle poussa un nouveau soupir

— Une journée compliquée. Comme ça arrive parfois. Qu'est-ce que tu fais ici ?

— Je suis venue voir Tallon.

— Il n'est pas encore rentré. Je l'attends d'une minute à l'autre. Tu veux boire un truc ? Moi, je ne dirais pas non.

— D'accord. Je prendrai la même chose que toi.

— Pour moi, ce sera un scotch bien tassé.

Ça ne lui ressemblait pas du tout.

— Marj, mais qu'est-ce qui ne va pas, bon Dieu ? Tu as dîné ?

Elle secoua la tête.

— Felicia vient de partir. Le dîner est sur la cuisinière. Tu peux te servir, si tu veux.

— Et toi ?

— Pas faim.

Il y avait clairement un problème.

— Accouche, Marj.

— Je te l'ai dit. Ça va.

Je l'attrapai par les épaules.

— Tu te souviens, les meilleures amies n'ont pas de secrets l'une pour l'autre.

Elle se versa un scotch.

— Oh Jade, j'aimerais pouvoir te le dire.

— Tu le peux.

La porte de service s'ouvrit et Tallon entra. Roger, qui était couché à mes pieds, se précipita vers lui en frétillant.

Il ouvrit des yeux ronds en me voyant.

— Jade.

— Tu as reçu mon texto ?

— Oui.

— Pourquoi es-tu surpris de me voir, alors ?

Marj agita son verre, dont les glaçons s'entrechoquèrent.

— OK, c'est le moment de m'éclipser. Le dîner est sur la cuisinière, les amis.

— Marj ? Qu'est-ce qui te prend ?

— Elle va bien, dit Tallon.

— Non, elle ne va pas bien. Elle ne veut pas dîner. Elle boit du scotch. Elle a une très sale tête. Ce n'est pas la Marj que je connais.

— Crois-moi, yeux d'azur. Ça va aller. C'était une journée éprouvante.

— Oui, il paraît. Pourquoi tu n'as pas répondu à mon message ?

— J'avais un rendez-vous. Ensuite, j'étais pressé de rentrer.

Il esquissa un vague sourire.

— Comment va ta mère ?

— Mieux. Merci de prendre des nouvelles. Elle est sortie du coma. J'aimerais pouvoir passer davantage de temps avec elle, mais je suis bien contente que mon père soit là.

— Je suis sûr que ça te permet d'avoir l'esprit plus tranquille.

J'acquiesçai.

— Il faut qu'on parle, Tallon.

— Marj t'a dit quelque chose ?

— Non. Mais elle me cache un truc.

— Je suis sûr que non.

Baissant les yeux, il se dirigea vers le réfrigérateur pour se servir un verre de thé glacé.

— Tu veux quelque chose ?

— Un peu de ce thé, avec plaisir.

Il en remplit un second verre pour moi.

— Bon, de quoi veux-tu parler ?

Je m'éclaircis la voix.

— Steve Dugan m'a proposé de sortir avec lui pour boire un verre aujourd'hui.

Les sourcils de Tallon s'envolèrent.

— Il a *quoi* ?

— Ne monte pas sur tes grands chevaux. J'ai refusé. En fait, je lui ai expliqué que je sortais tout juste d'une longue histoire et que je n'étais pas prête à voir quelqu'un d'autre. Toujours est-il que ça me démangeait de lui dire pour nous. Mais je ne savais pas quoi faire. Est-ce que nous pouvons… afficher notre relation ?

— C'est de ça que tu voulais parler ?

— Oui. Tu pensais à quoi ?

Il poussa un soupir.

— Au fait que je t'ai laissée en plan à Grand Junction l'autre soir. De ne pas avoir rencontré ton père.

Je souris.

— Oui, bon, c'est aussi sur ma liste. Et c'est encore une raison pour laquelle je n'étais pas sûre de pouvoir parler de nous à Steve. Quand tu dis que tu n'es pas prêt à faire la connaissance de mon père, qu'est-ce que ça signifie exactement ?

Tallon s'assit à la table et m'invita d'un geste à l'imiter.

— Yeux d'azur, tu ne me croiras peut-être pas, mais je n'ai jamais rencontré le père d'une femme.

— Je suis sûre que tu as rencontré de nombreux pères dans ta vie, Tallon, et certains d'entre eux avaient probablement des filles.

Il secoua la tête.

— Tu sais ce que je veux dire.

— OK. Bon, tu n'as jamais rencontré le père d'une petite amie.

— Je n'ai jamais eu de petite amie.

Je me figeai, silencieuse. Des perles de condensation se formèrent sur mon verre de thé glacé. Pourquoi étais-je surprise ? Dès le début, il m'avait prévenue qu'il se servait des femmes, prenait ce qu'elles avaient à offrir et continuait sa route. C'était logique qu'il n'ait jamais eu de régulière.

— Eh bien, mon père est vraiment très cool. Il fera une première fois parfaite.

Et la dernière aussi, osai-je espérer. Je ne voulais même pas imaginer que Tallon pourrait rencontrer le père d'autres petites amies. Je voulais être la seule et unique pour le restant de ses jours. Mais il était beaucoup trop tôt pour formuler ces pensées à voix haute.

— J'ai tellement de problèmes à régler, yeux d'azur.

— Laisse-moi t'aider. Je veux t'aider. Je t'aime.

Il ferma les yeux.

— Je ne veux pas que tu sortes avec Steve Dugan.

— Tallon, je n'ai aucune envie de sortir avec Steve Dugan. Mais j'ai besoin d'être sûre que toi et moi, nous allons quelque part. Que nous entretenons une vraie relation. Que ce que nous partageons a de l'importance pour toi.

Il ouvrit ses yeux sombres.

— Comment peux-tu penser que ça ne signifie rien pour moi ? Je t'ai déclaré mon amour, nom de Dieu. Je n'ai jamais dit ça à personne.

— Je comprends. Je t'assure que je comprends. Et ça me remplit de bonheur. C'est vraiment très important pour moi. Mais que sommes-nous l'un pour l'autre ? Jusqu'à maintenant, je n'ai jamais eu le sentiment de pouvoir confier à quiconque que j'étais avec toi. Est-ce que ça te dérange ? Si Steve Dugan ou n'importe qui m'invite à sortir, est-ce que je peux leur dire que je suis avec toi ?

Il but une gorgée de son thé glacé, apparemment perdu dans ses pensées, puis ferma de nouveau les yeux.

— Jade, je veux par-dessus tout être avec toi. Je te l'ai déjà dit. Tu es la seule chose au monde que j'aie jamais désirée.

— Mais tu es avec moi, Tallon. Alors pourquoi ai-je l'impression de ne pas pouvoir parler de nous aux gens ?

— C'est difficile pour moi. Je n'ai jamais…

— Tu n'as jamais quoi ? Tu n'as jamais eu de relation amoureuse ? Ça, tu l'as déjà dit. Et alors ?

Dans un soupir, il prit une nouvelle gorgée de thé.

— J'ai tant de choses à régler, Jade. Je ne suis pas sûr d'être prêt à afficher notre relation au grand jour.

— Alors, que dois-je répondre à Steve Dugan ou au prochain qui m'invitera à sortir ? Parce qu'il y en aura d'autres, Tallon, je te le garantis.

J'espérais le faire réagir avec cette dernière menace. En vérité, je n'avais jamais eu autant de succès avec les garçons qu'une fille aussi canon que Marj, mais ça ne ferait pas de mal à Tallon de croire qu'il y avait de la concurrence.

— Je ne veux pas que des hommes t'invitent à sortir.

— Et comment comptes-tu les en empêcher ? C'est une petite ville ici, et je suis de la chair fraîche. Si tu n'es pas prêt à admettre que nous sommes ensemble et qu'ils ignorent que je ne suis pas libre, comment peux-tu espérer les empêcher de m'inviter à sortir ?

— Tu peux simplement refuser. Leur dire ce que tu as expliqué à Dugan. Que tu sors d'une longue relation et que tu es un peu échaudée. C'est partiellement vrai, en plus.

— Ou bien…

Je rassemblai mon courage.

— Je pourrais accepter de sortir avec eux.

Son visage s'empourpra.

— *Quoi* ?

— Tu as bien entendu. Steve Dugan n'est pas mal du tout. Il a l'air sympa et honnête. Quel mal y aurait-il à prendre un verre avec lui ?

Il se leva et me saisit par les épaules, me tirant brutalement de ma chaise.

— Il est hors de question que tu ailles prendre un verre avec Steve Dugan ou qui que ce soit d'autre, ici ou ailleurs.

— Tu me l'interdis ? Comme tu m'as interdit de me faire tatouer ?

Ses yeux lancèrent des éclairs.

— Merde, Jade, pourquoi tu me fais ça ?

— Ça, quoi…

Ses lèvres envahirent les miennes. Sa langue était froide à cause du thé glacé, mais c'était toujours le goût de Tallon – un goût de cannelle et de menthe. C'était un de ses baisers impérieux, proclamant que j'étais sienne, exclusivement sienne.

Pourquoi était-il incapable de le dire avec des mots ?

Je m'arrachai à lui dans un bruit de ventouse.

— Tallon, nous…

Il prit de nouveau possession de ma bouche. Il était vain de tenter de lui parler en cet instant. Tallon me prouvait une chose dont j'étais déjà intimement persuadée. Que je lui appartenais. Et je voulais être à lui, partager son lit, et même sa vie si c'était ce qu'il désirait. Mais il était hors de question qu'il me dicte ce que je pouvais faire et ne pas faire.

Je tentai une nouvelle fois de m'éloigner de lui, mais son emprise était trop forte. Nous étions collés l'un à l'autre, aussi m'abandonnai-je au baiser. Embrasser Tallon n'avait rien d'une épreuve. Je profitai de chaque seconde. Nos langues se mêlèrent tandis qu'il m'embrassait avec passion, presque avec ferveur. Ses baisers étaient comme une drogue circulant dans mon organisme et dont je ne pouvais plus me passer.

Quand il détacha enfin ses lèvres des miennes pour reprendre son souffle, je tentai de reculer, mais il me retint. Il me mordilla le cou, puis remonta jusqu'à mon oreille.

— Tu ne sortiras avec personne, tu m'entends ?

Sans me laisser le temps de répondre, il reprit ma bouche. Et j'avais beau vouloir protester que je n'étais pas sa propriété, mon corps capitula et je fondis dans son baiser.

Nos lèvres s'épousèrent, nos langues se mêlèrent et s'affrontèrent, j'étais parcourue de frissons et des vagues de chaleur déferlaient dans mes veines, convergeant vers mon sexe. Mes mamelons se contractèrent, pressés contre le tissu de mon soutien-gorge. Tallon m'enlaçait étroitement tout en continuant de me dévorer.

*Tu es à moi*, clamait ce baiser. À *moi et à personne d'autre. Moi seul te possé*derai.

Et ce baiser disait la vérité.

Je ne voulais personne d'autre que lui.

Détachant une main de son avant-bras, j'empoignai sa queue durcie qui palpitait contre mon ventre.

Il poussa un grognement dans ma bouche.

Il interrompit le baiser et, encore une fois, sans me laisser prononcer un mot, il me souleva dans ses bras et quitta hâtivement la cuisine.

Pas la peine de lui demander où nous allions.

Je n'opposai aucune résistance.

Il m'emmenait dans son lit, et qu'importait la sainte horreur que m'inspiraient ses interdictions ou ma frustration de ne pas pouvoir afficher notre relation au grand jour, j'étais toujours prête à le suivre. Il n'avait pas besoin de me demander la permission. Il pouvait user de la force et je l'accepterais. Jamais je ne me refuserais à lui.

Telle était la réalité.

Une fois dans sa suite, il referma la porte d'un coup de pied, traversa le salon jusqu'à sa chambre et me jeta – sans ménagement – sur le lit.

— Déshabille-toi, m'ordonna-t-il, le regard sombre et enflammé, la peau luisante de sueur.

Passant les doigts dans la masse de ses cheveux, il les ébouriffa de façon très sexy.

Lui opposer un refus ne me traversa même pas l'esprit. Avec lenteur, je retirai mon caraco en le faisant passer par-dessus ma tête avant de le laisser tomber par terre. Puis je dégrafai mon soutien-gorge et m'en débarrassai également. Je pris mes seins en coupe entre mes mains, les tendant en offrande, taquinant mes tétons de la pulpe du pouce. Ils étaient déjà turgescents, semblables à des groseilles, impatients de sentir sa bouche. Je pinçai le droit, puis le gauche, et Tallon retint son souffle.

— Bon Dieu, yeux d'azur.

J'étais déjà excitée. Ma petite culotte était certainement trempée et quelques sollicitations supplémentaires de ma propre main sur mes tétons suffirent à galvaniser mon désir.

Tallon passa une nouvelle fois la main dans ses beaux cheveux.

— J'ai dit : déshabille-toi, Jade.

Je me mordis la lèvre et il cessa de respirer. Je m'allongeai sur le lit, fis descendre mon pantalon tout le long de mes jambes avant de le retirer en même temps que mes escarpins noirs. Je ne portais plus désormais que mon string en dentelle.

Tournant la tête, je croisai le regard d'obsidienne de Tallon. De la main gauche, je saisis mon mamelon entre le pouce et l'index tout en descendant l'autre main sur mon ventre, jusqu'à mon sexe, glissant mes doigts sous la dentelle du string. Ma chatte était trempée.

— Je mouille, Tallon. Je mouille pour toi.

— Nom de…

Il me tira au bord du lit, m'écarta brutalement les cuisses et m'arracha mon string, qui se déchira, avant de le jeter au sol et de humer mon sexe.

— Oh, yeux d'azur, tu sens si bon. Tu es prête.

Dans un soupir, je fermai les yeux, attendant le contact de sa langue contre mes replis lubrifiés.

Mais rien ne vint. Ouvrant les yeux, je soulevai légèrement la tête et croisai son regard ardent.

— Cette chatte m'appartient, Jade. Tu m'entends ? Elle est à moi.

Eh bien, c'était déjà ça. Il ne voulait peut-être pas de moi tout entière, mais au moins il voulait ma chatte.

— Oui, elle est à toi.

— Rien qu'à moi.

Je sentis remonter sa langue depuis mon anus jusqu'à mon clitoris.

Je frissonnai. Mon sang bouillonnait dans mes veines. Il suffisait que cet homme me touche pour que je me liquéfie.

— Tu as si bon goût. Tu es aussi délicieuse que mes pommes, mes pêches...

Il me dévorait carrément, les sons de son festin m'excitant encore davantage. Tandis qu'il se repaissait de moi, je jouai avec mes seins. Mon Dieu que c'était bon.

Il me pénétra de sa langue avant de revenir à mon clitoris, qu'il aspira entre ses lèvres. J'étais sur le point d'imploser, mais il redescendit jusqu'à ma fente tout en me relevant les cuisses pour solliciter mon anus du bout des doigts.

— Jolie petite rondelle, yeux d'azur.

Cette fois, ce fut sa langue qui vint titiller cette zone érogène, et j'étais prête à basculer. Je voulais jouir. Je me triturai les tétons de plus belle. *Reviens juste un peu sur mon clitoris.* Mais sa langue devrait alors abandonner mon anus, ce qui n'était pas possible. Deux langues... il lui faudrait deux langues.

Quand il poussa un doigt dans mon sphincter, je tressaillis, au bord de l'orgasme.

— Tu aimes ça, bébé ? Tu aimes quand je baise ton petit cul ? Ton petit cul délicieux.

Je me pinçai violemment les tétons, au risque de les arracher. Où étaient donc ses pinces à sein ?

Il plongea alors deux doigts dans ma fente, faisant aller et venir sa main, emplissant mes deux orifices.

Quand ses lèvres happèrent mon clitoris, j'atteignis le nirvana et m'envolai vers les étoiles, sans cesser de me pincer les tétons. Mon Dieu, c'était l'extase.

Lorsque je revins finalement sur terre, il poursuivit son va-et-vient simultané, et je ne voulais surtout pas qu'il s'arrête. C'était si bon.

J'ouvris les yeux et il me regardait, le regard incandescent.

— C'est ça, bébé. Touche-toi les seins. Fais-toi du bien.

— Lèche-moi encore, Tallon. Dévore-moi. Suce-moi.

Plongeant la tête entre mes cuisses, il ne se fit pas prier, les doigts toujours enfouis à l'intérieur de moi. J'aurais pu jouir encore si facilement, mais j'avais envie de l'embrasser, de sentir mon goût sur ses lèvres.

Je m'abandonnai à lui dans un soupir, il pouvait faire de moi ce qu'il voulait. Si son désir était de me sodomiser une nouvelle fois, je le laisserais faire. J'étais à lui.

— Putain, bébé.

Se redressant, il se débarrassa de sa chemise bordeaux, qui finit en tas sur le sol. Il était toujours aussi beau avec sa toison noire entourant ses tétons cuivrés, ses abdominaux ciselés et ce délicieux chemin de poils noirs menant au paradis. Il déboucla son ceinturon, tira d'un seul geste sur son jean et fit glisser son caleçon sur ses hanches étroites, sa queue majestueuse au garde-à-vous.

— Je vais te baiser, Jade. Écarte les cuisses. Montre-moi ma chatte.

Je m'empressai de lui obéir.

En quelques secondes, son sexe était en moi et il me labourait à puissants coups de reins...

— Oh, Jade.

J'explosai bientôt une seconde fois, mes parois se contractant autour de lui.

— C'est ça, bébé. Jouis pour moi. Jouis pour moi. Rien que pour moi.

Il poursuivit sa glorieuse chevauchée et m'inonda de sa semence avec un grognement.

J'étais tellement synchro avec lui que je ressentais chacune de ses éjaculations.

Il s'effondra sur moi, puis roula sur le dos, son jean autour des chevilles, ses bottes toujours aux pieds.

— Waouh, Tallon, c'était grandiose.

Il se tourna vers moi, le regard toujours brûlant.

— Ce n'était que le début, yeux d'azur.

# Chapitre 10

## TALLON

Presque aussitôt, je bandai à nouveau pour Jade. Incroyable comme j'avais déjà envie d'elle alors que je venais tout juste de la prendre. Elle était si belle, allongée là, les jambes encore écartées, le corps luisant, les mamelons rougis par ses propres caresses. Je brûlais de les aspirer entre mes lèvres, de la faire hurler de plaisir. Ses cheveux mordorés étaient étalés sur le lit, ses yeux bleu acier mi-clos, sa bouche rouge encore gonflée de nos baisers. Sa langue passa sur sa lèvre inférieure. Tellement sexy. Et son sexe engorgé de sang de la couleur du vin…

J'avais pris mon pied à la lécher, à la pénétrer de mes doigts, à jouer avec ses orifices. Je mourais d'envie de m'enfoncer à nouveau dans ce petit trou serré, mais je ne m'étais pas montré très performant la première fois. Ça n'avait peut-être pas été une très bonne idée, compte tenu de mon passé. Cela dit, tout s'était bien déroulé jusqu'à ce que…

Non, je ne voulais pas y penser en cet instant. Je n'avais pas fini de lui faire l'amour, et bon sang, rien ne m'enlèverait ça.

Elle m'appartenait. À moi et à personne d'autre. Personne ne l'inviterait à sortir. Ceux qui s'y essaieraient auraient affaire à moi.

J'étais le seul à pouvoir la posséder.

Me soulevant sur un coude, je m'abandonnai une fois de plus dans la contemplation de son corps. Je caressai son ventre ferme, ses seins somptueux et majestueux. Je jouai avec un téton, qui durcit sous mes doigts.

Elle ferma les yeux et soupira, exhalant ce son mélodieux qui n'appartenait qu'à elle.

— Hmm, gémit-elle. C'est tellement bon.

Je voulais lui procurer du plaisir. Au point de lui faire oublier tous les autres et qu'elle ne désire jamais plus être avec un autre que moi.

Moi, en tout cas, je ne voulais qu'elle.

Alors pourquoi redoutais-je tant d'afficher notre relation ? De déclarer au monde entier que Jade Roberts était à moi ?

Peut-être parce que cela signifiait aussi que je lui appartenais ?

Ce n'était pas un problème. Je ne voulais être avec personne d'autre. Mais étais-je prêt à lui imposer le chaos de ma vie ?

Non, pas encore.

J'observai ses lentes inspirations, le mouvement régulier de sa poitrine magnifique. Elle était tout mon univers – l'unique chose que j'aie jamais désirée.

Et, aussi incroyable que cela puisse paraître, elle me désirait aussi.

Elle souhaitait rendre notre relation publique, que le monde entier sache que nous étions ensemble.

Mon sexe se durcit. J'avais de nouveau envie d'elle.

Je lui donnai un petit coup de coude.

— Viens là, bébé. Assieds-toi sur ma bouche et suce-moi.

Elle sourit et s'exécuta, changeant lentement de position. Et lorsque son sexe sublime descendit sur mon visage, je faillis éjaculer sur-le-champ. Elle était si belle, rouge et gonflée, délicieusement acidulée. Je léchai sa fente comme un chat laperait du lait. C'était divin. Elle ondula les hanches, frottant son sexe sur mon visage. Bon Dieu, c'était torride. Puis elle se pencha en avant et aspira ma queue dans sa bouche chaude et humide.

Plus elle me suçait, plus j'avais envie d'elle. Au fur et à mesure que je la léchais et qu'elle engloutissait ma queue tout au fond de sa gorge, son parfum devenait de plus en plus envoûtant.

Elle poussait de petits grognements qui produisaient des vibrations qui me rendaient fou. Pendant tout ce temps, je continuai de la lécher, de la dévorer, plongeant loin et profondément en elle. Puis je passai à sa rondelle, que je pénétrai de ma langue.

Je la soulevai pour m'imprégner de son odeur.

— C'est ça, bébé. Chevauche-moi. Suce ma queue qui bande pour toi.

Puis j'enfonçai une nouvelle fois ma langue dans son sexe tout en lui empoignant un sein. Je trouvai son téton et le pinçai violemment.

— Aah, gémit-elle contre ma queue alors qu'elle jouissait sur mon visage.

J'étais inondé de ses sécrétions, qui n'en finissaient pas, mais je n'en avais jamais assez. Je la buvais littéralement, brûlant d'infuser son essence dans mon corps tout entier.

Je lui pinçai à nouveau le téton et elle jouit de plus belle. Bon sang, j'adorais ça. Je lui suçai le clitoris, insinuai ma langue dans sa chatte humide, lui léchai l'anus et elle se tortilla sur moi, m'aspergeant de ses sucs.

J'avais envie de la faire jouir encore, de m'abreuver toujours davantage à cette fontaine exquise, mais je ne pourrais plus me retenir très longtemps. Je voulais la pénétrer et je voulais éjaculer en elle encore une fois.

Je soulevai ses hanches de mon visage.

— Bébé, retourne-toi et assieds-toi sur ma queue. Je veux que tu me chevauches.

Elle obéit, comme toujours. Au lit, tout du moins. Elle se retourna, et Dieu qu'elle était belle tandis qu'elle s'empalait sur moi, m'avalant tout entier tel un fourreau divin.

— Chevauche-moi, bébé. Chevauche-moi et caresse-toi. Je veux que tu jouisses encore.

Je lui empoignai les seins pour pincer ses tétons tandis que sa main descendait jusqu'à son sexe et qu'elle commençait à se caresser.

Elle me chevaucha lentement, si lentement que je crus qu'elle allait me rendre fou. Mais pas question de l'arrêter, parce que c'était tellement bandant. Terriblement excitant.

— Tallon, c'est bon, bébé.

— Oui, grognai-je. Plus vite, bébé. Plus vite.

Elle s'exécuta, comme à chaque fois. Elle s'empala sur moi, puis se souleva et s'empala à nouveau dans un va-et-vient incessant, frénétique, si rapide que j'explosai, mon corps tout entier secoué de convulsions.

Je fermai les yeux, pinçant ses deux tétons. Des mots s'échappèrent de ma bouche, mais je ne savais pas ce que je disais.

J'étais en pleine extase, au nirvana. Je n'avais plus conscience de rien d'autre que Jade et moi, tourbillonnant dans une spirale de plaisir insensé.

Mon orgasme se prolongea et les caresses qu'elle se prodiguait l'envoyèrent bientôt dans l'extase, où elle me rejoignit.

Elle continua de coulisser sur ma queue, me faisant perdre la tête. Lorsqu'elle ralentit enfin, nous étions tous deux hors d'haleine, le corps luisant de transpiration et le front mouillé de sueur.

Elle se retira, s'allongeant sur le dos à côté de moi.

— Mon Dieu, Tallon. C'était incroyable.

— Tu l'as dit, bébé.

— Tu me donnes tellement de plaisir, dit-elle. Je t'aime vraiment.

Je me soulevai sur mes coudes pour la regarder.

— Je t'aime aussi. Bon, maintenant, dis-moi que tu ne vas pas sortir avec Steve Dugan ou qui que ce soit d'autre.

Elle se redressa brusquement.

— Tu ne vas pas remettre ça sur le tapis !

— Pourquoi pas ? C'est ce qui nous a menés ici.

Elle secoua la tête.

— Tallon, tu n'apprendras jamais, n'est-ce pas ?

— Je n'apprendrai jamais quoi ?

— Que je ne suis pas ta propriété. Je n'ai aucune envie de sortir avec quelqu'un d'autre. Mais si tu refuses de t'engager envers moi, pourquoi m'en priverais-je ? Cette histoire est en train de te rendre fou. Comme ce fichu tatouage.

— Que tu ne te feras pas faire.

Elle secoua la tête encore une fois.

— Non, mais tu t'entends ? Tu ne peux pas me donner des ordres.

— J'ai pourtant l'impression que je le fais très bien ici.

— Ce que nous faisons au lit est différent, Tallon. J'aime me soumettre à tes désirs. Ça nous excite tous les deux. Mais je refuse la soumission dans tous les autres aspects de notre vie. Je suis une femme indépendante.

— Et si c'est le genre de relation que je veux ? Une femme soumise, pas seulement au lit, mais dans tous les aspects de notre vie ?

Elle me considéra, son regard bleu métallique débordant à la fois de colère et de tristesse. Ses yeux s'emplirent de larmes.

— Si c'est réellement ce que tu veux, je crains de ne pas être la femme qu'il te faut.

Et sur ces mots, elle rassembla ses vêtements, s'habilla en vitesse et quitta la chambre.

*Ne la laisse pas partir, Tallon. Ne la laisse pas partir.*

Elle était tout ce que je voulais. L'unique chose que j'aie jamais désirée.

Étais-je prêt ? Étais-je prêt à la faire réellement mienne ?

# Chapitre 11

## JADE

Ce n'était pas la fin. Je le savais. Je n'y croyais pas en tout cas. Mais Tallon devait comprendre que je n'étais pas sa chose, que ma vie m'appartenait. Si je voulais me faire tatouer, c'était mon choix. Et s'il refusait de s'engager avec moi, j'avais tous les droits de…

Merde. De qui je me fichais ? Je n'avais aucune envie de sortir avec Steve Dugan ou n'importe qui d'autre. Je ne voulais que Tallon. Et j'avais bien peur de ne vouloir que lui pour le restant de mes jours.

Alors que j'arrivais dans la cuisine, je sentis des mains chaudes se poser sur mes épaules et un souffle brûlant me murmurer à l'oreille :

— Ne t'en va pas.

Je me retournai dans ses bras. Je ne répondis pas tout de suite, le laissant juste me tenir. Il s'agrippait à moi comme s'il redoutait que je disparaisse.

— S'il te plaît, ne pars pas.

Je m'écartai légèrement de lui.

— Je n'ai pas *envie* de m'en aller, Tallon.

— Alors reste avec moi.

— Mais tu me demandes d'être ce que je ne suis pas.

Je le fis pivoter et nous retournâmes dans sa suite à pas lents, nous arrêtant dans le salon. Je m'assis sur le canapé et lui fis signe de me rejoindre.

— J'adore faire l'amour avec toi, Tallon. J'aime me soumettre à tes désirs. C'est ce que je veux quand nous sommes au lit. Que tu prennes de moi ce qu'il te faut. C'est ma façon de te montrer mon amour, ma confiance. Mais je te le montre aussi d'autres façons. Je ne te demande pas d'être ce que tu n'es pas. Oui, j'aimerais pouvoir parler de notre relation, mais si tu n'es pas prêt, nous attendrons.

— Ce n'est pas exactement comme ça que tu as formulé la chose, Jade. Tu as dit que si nous n'affichions pas notre relation publiquement, tu sortirais avec tous ceux qui te le demanderaient.

Je lâchai un petit rie. Je ne pouvais pas le nier.

— Tallon, je n'ai pas l'intention de sortir avec qui que soit. Je n'en ai aucune envie.

— Pourquoi tu as dit ça, alors ?

Je secouai la tête.

— Je ne sais pas. Je suppose que j'en ai marre que tu m'interdises de faire des trucs. Je te serai soumise au lit, mais je ne serai pas ton esclave.

— Je ne t'ai jamais demandé d'être mon esclave.

— Pas directement, mais tu m'as interdit de me faire tatouer...

Il se leva et se mit à arpenter la pièce, visiblement nerveux.

— Ce tatouage...

— Parlons-en, de ce fichu tatouage, Tallon. Pourquoi a-t-il provoqué chez toi une réaction aussi violente ? Au point de te rendre chez le tatoueur et de le payer pour qu'il ne me tatoue pas.

— Tu n'en sais rien.

— Oh, je t'en prie, ne me prends pas pour une idiote. Pour quelle autre raison refuserait-il une cliente ?

Il soupira et se rassit.

— OK. C'est vrai. J'ai fait ce qu'il fallait pour qu'ils ne te tatouent pas.

— Tu as conscience que tu ne peux pas acheter tous les salons de tatouage du Colorado, je suppose ?

— Jade...

Il me prit la main.

— Je te le demande. Je t'en prie, si tu m'aimes, renonce à ce tatouage.

La gravité se lisait dans ses yeux. Son regard exprimait la tristesse, la détermination, une certaine dureté.

— Si c'est tellement important pour toi, je ne me ferai pas tatouer ce modèle en particulier. Je pourrais peut-être trouver un autre dessin de phénix qui me plaise.

Il me serra la main avec force.

— S'il te plaît, Jade. Pas un phénix.

Je déglutis.

— Pourquoi ? Tu peux me dire pourquoi ?

Il secoua la tête.

— Tallon, je sais qu'il y a beaucoup de choses qui te travaillent et que je ne suis pas au bout de mes surprises avec toi. Je le sais, et je t'aime malgré tout. Ce tatouage signifie manifestement quelque chose pour toi, il a une importance que je ne comprends pas. Je t'en prie, si tu m'aimes, dis-moi pourquoi tu ne veux pas que je me fasse tatouer un phénix.

— Je ne peux pas.

— Ça n'a pas de sens. Tu as appelé ton cheval Phénix, pour l'amour du ciel !

— Il y a des choses. Des choses que je ne peux pas t'expliquer pour l'instant.

— Pourras-tu le faire un jour ?

Il se tourna vers moi et me saisit les deux mains, le regard grave.

— Je l'espère, yeux d'azur. Je l'espère du fond du cœur.

★ ★ ★

De retour au bureau le lendemain, je constatai que Larry était toujours aux abonnés absents. Je me retrouvai encore une fois au tribunal pour une affaire de violence conjugale dont je ne connaissais rien. Je culpabilisais d'avoir encore rembarré Michelle. Ce n'était pas sa faute si Larry n'était pas là.

Après l'audience, je pus passer un coup de fil à mon père et prendre des nouvelles de Brooke. Elle avait repris connaissance à plusieurs occasions, mais brièvement. Compte tenu de ma charge de travail et de l'absence de Larry, je n'aurais pas le temps de lui rendre visite avant le week-end.

En fin de journée, Michelle vint me dire que le maire était là et désirait me voir.

— Bien sûr, faites-le entrer.

Je n'avais pas la moindre idée du motif de sa visite, mais le substitut du procureur ne refusait pas de recevoir le maire.

Un homme de haute stature aux cheveux poivre et sel et aux yeux bleus entra, vêtu d'une tenue décontractée, jean et polo. Même Larry faisait davantage d'efforts vestimentaires, sauf le vendredi quand il venait parfois en short et en tongs.

— Jade, dit-il en me tendant la main, Tom Simpson.

Je me souvenais d'avoir lu son nom dans l'article à propos du retour au pays de Tallon et de l'héroïsme dont il avait fait preuve. Je me levai et lui serrai la main.

— Enchantée. Que puis-je faire pour vous ?

Il fit un geste en direction de mon fauteuil.

— Restez assise, je vous en prie.

Il s'installa en face de moi.

— Avez-vous des nouvelles de Larry Wade ?

Je secouai la tête.

— Je l'ai vu pour la dernière fois vendredi quand il a quitté le bureau.

Je décidai de passer sous silence le fait que je pensais l'avoir vu à l'hôpital de Grand Junction plus tard dans la soirée. Je n'étais pas certaine qu'il s'agissait de lui, alors à quoi bon faire des vagues ?

— Nous essayons tous de le joindre, reprit Simpson. Mais personne ne semble savoir où il est – ni son ex-femme ni ses enfants, personne. Je vais donc devoir changer des choses dans ce service.

Merde, étais-je sur le point de me faire virer ? Je n'adorais pas mon boulot – travailler pour un salaud sans scrupule n'était franchement pas le rêve – mais j'avais besoin de gagner ma vie.

— Je comprends. Que comptez-vous faire ?

Il sourit.

— À compter de demain matin, 8 heures, vous êtes le procureur municipal, mademoiselle Roberts.

J'écarquillai les yeux.

— Moi ?

— J'ai discuté avec la juge Gonzalez au palais de justice. Elle m'a rendu compte de l'habileté avec laquelle vous vous êtes occupée au pied levé des affaires de Larry, quasiment sans préparation.

Vraiment ? Après la séance de remontage de bretelles à laquelle j'avais eu droit ?

— Merci. J'ai déjà pris des dispositions pour être tenue informée de toutes les affaires inscrites au rôle, juste au cas où la situation se reproduirait.

— Je suis heureux que vous ayez pris cette initiative, votre transition n'en sera que facilitée.

— J'apprécie votre confiance, monsieur le maire.

Il sourit.

— Je vous en prie, appelez-moi Tom. Nous ne faisons pas de manières dans une bourgade comme Snow Creek, ajouta-t-il en se levant. Oh, j'allais oublier, vous aurez une augmentation de salaire de 10 000 dollars.

— Waouh. Merci. J'en suis ravie, mais ce n'est pas nécessaire.

— Nous aurions même aimé pouvoir vous payer davantage, Jade, mais comme vous le savez, notre ville est petite. Le poste de procureur municipal est normalement attribué par le biais des élections, même si j'ai nommé Larry quand le procureur précédent a pris sa retraite au milieu de son mandat. Si vous décidez de vous présenter à l'issue de ce mandat, vous serez tout à fait en droit de le faire. Si vous êtes élue par le peuple, vos appointements seront considérablement plus élevés.

Je fis des calculs rapides dans ma tête. Cette nouvelle voiture se rapprochait. J'espérais secrètement que Larry ne reviendrait pas de sitôt.

— Quand le mandat arrive-t-il à son terme ?

— L'année prochaine.

— Bien, mais je suis sûre que Larry sera bientôt de retour.

— Ça ne changera rien pour vous, Jade. À moins qu'il ait une sacrée bonne raison d'être parti, j'entends bien recevoir sa démission.

— Vous avez conscience, monsieur le maire… euh… Tom, que je viens tout juste d'obtenir mon diplôme d'avocate ?

— Oui, je suis au courant. Mais comme je vous l'ai dit, la juge Gonzalez a chanté vos louanges, soulignant l'excellence de vos interventions ces derniers jours. Et notre ville est petite. Il ne vous faudra pas longtemps pour vous mettre dans le bain, ajouta-t-il en souriant. Bon, je vais vous laisser travailler.

Et sur ces mots, il quitta mon bureau.

Je me carrai dans mon fauteuil. Était-ce une bonne ou une mauvaise nouvelle ?

*A priori*, c'était une bonne chose. J'étais capable d'assumer les fonctions de procureur municipal. Une opportunité d'assainir ce service. Moi aux commandes, fini les entorses à l'éthique. En outre, il y avait une augmentation à la clé et cet argent serait le bienvenu.

Plus tôt je réunirais la somme pour payer un acompte sur une nouvelle voiture, plus vite je pourrais emménager dans un logement plus agréable. Sans parler des emprunts pour mes études que j'allais devoir commencer à rembourser sous peu. Donc oui, tout bien considéré, c'était une bonne nouvelle.

Alors, pourquoi cela me mettait-il mal à l'aise ?

# Chapitre 12

## Tallon

J'allais devoir augmenter ce pauvre Axel. C'était un excellent chef d'équipe au verger et je n'avais pas fait ma part du travail ces derniers temps, à force de me rendre constamment à Grand Junction pour mes séances de thérapie. C'était encore le cas aujourd'hui, mais cette fois, j'étais parti plus tôt pour passer voir Robert Prendergast, *alias* Bob le Biker, le créateur de cet infâme tatouage de phénix que Jade voulait se faire graver sous la peau pour l'éternité. En dépit des dollars supplémentaires que je lui avais donnés, il avait été incapable de retrouver dans ses archives le nom du client auquel il avait fait ce tatouage quelque vingt-cinq ans plus tôt.

À présent, j'étais assis dans le fauteuil inclinable en cuir vert tant redouté et me cramponnais à ses accoudoirs, comme toujours.

— C'est étrange, dis-je au docteur Carmichael. Ça fait combien de temps que je viens ici, maintenant ? Plusieurs semaines ? C'est loin d'être ma première séance, et pourtant, je redoute à chaque fois ce moment.

Je levai les yeux vers elle.

— Sans vouloir vous vexer.

Elle lâcha un rire.

— Je ne suis pas vexée. Une thérapie n'est pas une promenade de santé, Tallon. Vous vous en êtes sûrement aperçu, depuis le temps. Votre appréhension est tout à fait normale. Mais dites-moi, comment vous sentez-vous après une bonne séance ?

— Je me sens...

Bonne question. Je n'avais jamais vraiment pris le temps d'y réfléchir. Je vivais dans le brouillard depuis si longtemps. Mes moments passés avec Jade étaient les seuls où je me sentais presque en paix. Mais maintenant que j'y pensais, je me rendis compte que j'étais libéré d'un poids, surtout depuis la séance au cours de laquelle j'avais enfin reconnu avoir été violé.

— Franchement, je ne peux pas vraiment dire que je me sens bien, mais j'ai le sentiment que mon fardeau s'est allégé. Ça vous paraît logique ?

Elle sourit.

— Tout à fait logique. Et au fur et à mesure que nous progresserons, vous finirez par vous sentir bien en sortant d'ici. Je vous le promets.

J'espérais qu'elle avait raison. J'aspirais réellement à trouver le bien-être. Les seules fois où je me sentais bien, c'était en compagnie de Jade et elle ne serait pas toujours là.

À moins que... ?

— Doc ?

— Oui ?

— Pensez-vous que je sois capable d'entretenir une véritable relation amoureuse ?

— Avec Jade, vous voulez dire ?

Je hochai la tête.

— C'est ce que je souhaite plus que tout au monde. Elle est l'unique chose que j'aie jamais désirée. Et elle veut que nous affichions notre relation.

— Et pas vous ?

Je fis la grimace.

— Ce n'est pas que je ne veuille pas. Parfois, j'ai envie de crier sur les toits qu'elle est à moi, rien qu'à moi. Et puis je me rends compte à quel point ce serait injuste envers elle. Qu'est-ce que j'ai à lui offrir ?

— Votre personne. J'ai le sentiment que cela lui suffit.

— Mais vous savez ce que j'ai traversé. Je suis un homme brisé. Je ne suis pas certain que mes blessures guériront un jour.

— N'est-ce pas le cas de tout le monde ? Nous avons chacun notre croix à porter, Tallon. Il est vrai qu'elles ne sont pas toutes de la même nature que la vôtre. Mais on dit souvent que si chacun posait la sienne aux yeux de tous, tout le monde s'empresserait de reprendre son propre fardeau.

Je ne pus m'empêcher de glousser.

— Je doute que ce serait mon cas.

— Peut-être pas. Mais souvenez-vous, c'est tout ce que vous avez vécu qui a fait de vous l'homme que vous êtes aujourd'hui. Et c'est de cet homme que Jade est tombée amoureuse.

Je restai assis en silence un instant, méditant ses paroles. Je n'avais jamais envisagé les choses sous cet angle.

— J'ai toujours pensé que si elle savait qui j'étais vraiment, ses sentiments envers moi changeraient.

— Que vous ne lui ayez pas raconté tout ce qui vous est arrivé ne l'empêche pas de voir qui vous êtes réellement. Elle sait que quelque chose vous mine de l'intérieur et que vous devez l'affronter. C'est évident pour tous ceux qui vous côtoient. Et elle n'a pas pris ses jambes à son cou, si ?

Je secouai la tête.

— Non, même quand je l'ai suppliée de partir.

— On ne peut pas tout savoir de la personne dont on tombe amoureux. Chacun a ses petits secrets. C'est normal.

— Mais lorsqu'on se met en couple et qu'on espère le faire durer toujours, alors on est censés ne faire qu'un, non ?

— Oui, dans le sens où l'on est unis, solidaires, mais les deux moitiés du couple demeurent des individus indépendants. Cela ne change jamais. Vouloir le contraire est souvent la cause de l'échec d'un mariage : lorsque l'une des deux parties essaie de se plier à la volonté de l'autre.

— Je n'imagine pas Jade se plier à quoi que ce soit, dis-je en laissant échapper un rire. En fait, on vient d'avoir une discussion à ce sujet.

— Est-ce que vous souhaitez m'en parler ?

Débattre de ma relation avec Jade n'était pas vraiment la raison de mes consultations. Il y avait des sujets plus urgents. Mais au fond, pourquoi pas ?

— Elle n'aime pas que je lui interdise de faire certaines choses.

Les lèvres du docteur Carmichael s'étirèrent en un sourire.

— Ce que je trouve compréhensible, personnellement.

— Mais vous ne comprenez pas. Au lit…

— Quoi ?

— Au lit, elle fait tout ce que je lui demande. Tout ce que je lui ordonne.

— De nombreuses femmes aiment être soumises au lit. Cela ne signifie pas qu'elles le sont aussi dans la vie en général.

— C'est exactement ce qu'elle a dit.

— Je le répète : elle a l'air d'être une fille intelligente.

— Ça, c'est sûr. C'est l'une des choses que j'adore chez elle. Comprenez-moi bien, elle est à tomber. Un vrai canon. Mais son intelligence est tout aussi sexy.

Le docteur Carmichael sourit à nouveau.

— La plupart des femmes rêveraient de rencontrer un homme qui ait ce sentiment.

— J'ai quelque chose à vous demander. Quelque chose de personnel.

— Il n'est pas vraiment question de moi, mais si cela peut vous aider, je ferai de mon mieux pour vous répondre.

— Mon frère dit qu'il vous a rencontrée à Grand Junction. Vous étiez venue pour un congrès de psychiatrie, et lui, pour un autre.

— Oui, je m'en souviens.

— Mais quand je me suis retrouvé aux urgences il y a quelques mois et que vous êtes venue, vous vous êtes comportée comme si vous ne l'aviez jamais vu de votre vie.

Elle rougit légèrement.

— Vraiment ?

— Oui, vous lui avez serré la main et dit que vous étiez ravie de le rencontrer.

Ses joues s'empourprèrent encore, si c'était possible.

— Je suppose que je…

— Oh, bon sang. Il vous plaît, n'est-ce pas ?

— Je ne vois pas en quoi cela vous regarde.

— Pour être franc, je crois qu'il a le béguin pour vous. Je vous l'ai déjà dit.

— En toute honnêteté, j'ai voulu éviter de vous mettre dans l'embarras ce jour-là, votre frère et vous.

— Donc vous vous souveniez bien de lui ?

— Oui.

Elle laissa échapper un soupir et dégagea ses longs cheveux blonds de son cou. Est-ce que mes questions lui donnaient chaud et la mettaient mal à l'aise ?

— Bien, nous nous sommes assez écartés du sujet, monsieur Steel.

— Compris.

Mais je souris intérieurement. Je devais convaincre Joe de venir la consulter. Ou de coucher avec elle. Peut-être même les deux.

— Vous lui ressemblez beaucoup, fit remarquer le docteur Carmichael. Environ la même taille, la même carrure. Il a les cheveux un peu plus grisonnants et le nez plus droit.

— Oui, les brutes à l'école m'ont cassé le nez, comme vous le savez.

— Et vous avez un frère cadet ?

— Oui. Ryan. On dit de lui que c'est le plus beau et le plus sympa des frères Steel.

— Plus beau que vous deux ? s'étonna-t-elle en haussant les sourcils.

J'éclatai de rire.

— Ouais. Mais je croyais que nous en avions fini avec ce sujet.

Elle secoua la tête comme pour s'éclaircir les idées.

— Bien sûr. Excusez-moi. Revenons à votre relation avec Jade. Elle souhaite donc la révéler au grand jour, mais vous n'êtes pas d'accord. Qu'est-ce qui la motive, selon vous ?

— Eh bien, ce flic, que je croyais être mon ami, l'a invitée à sortir avec lui.

— Alors, il n'est plus votre ami ?

— Il a dragué ma femme.

— Tallon, il ne pouvait pas savoir que vous étiez ensemble. C'est sans doute pour cela que Jade souhaite officialiser votre relation.

Bien sûr. Je le savais.

— Pourquoi est-ce que c'est si difficile pour moi ?

— Vous êtes le seul à pouvoir répondre à cette question.

— Mais c'est vous la psy.

Elle sourit. J'étais toujours étonné qu'elle ne se formalise pas de ma familiarité.

— Je crois que vous y avez déjà répondu vous-même. Vous avez le sentiment qu'elle ne vous aimera plus lorsqu'elle apprendra tout ce que vous avez traversé.

— Oui, mais ce n'est pas tout.

— Que voulez-vous dire ?

— Par moments, j'ai envie de tuer ces trois enfoirés, Doc. J'en rêve.

— Je le sais.

— Et je pensais qu'éliminer nos ennemis en Irak m'aiderait à assouvir mes pulsions sanguinaires. Mais ça n'a pas été le cas. Ces morts ne comptaient pas. Je l'ai fait pour mon pays, et je ne le regrette pas, mais ça n'a pas étouffé les démons qui me hantent comme je l'espérais.

— Non, parce que ces gens-là n'étaient pas vos démons.

— Ils étaient démoniaques à leur façon. Ils essayaient de nous tuer, mes hommes et moi.

— Je comprends, mais vous aurez beau faire, ils ne représenteront jamais vos agresseurs.

— Et si je n'arrivais jamais à maîtriser la colère qui est en moi ? Et si je ne pouvais jamais passer la nuit avec Jade ? Qu'est-ce qui arrivera si je ne parviens pas à contrôler mes rêves et que je me réveille à nouveau les mains serrées autour de son cou ?

— Nous en avons déjà parlé. Je ne pense pas que cela se reproduira.

— J'aimerais en être aussi certain que vous.

— Vous le serez un jour, sans doute plus tôt que vous le pensez.

— Je l'espère.

— En attendant, Tallon, pourquoi ne pas officialiser votre relation ?

— Et si elle me quittait une fois qu'elle saura toute la vérité ?

— Premièrement, je pense qu'elle vous aime assez pour rester avec vous malgré les épreuves. Mais envisageons le pire. Qu'il arrive quelque chose et qu'elle décide de rompre. C'est différent de ce qui se passe maintenant. Vous pouvez très bien officialiser votre relation aujourd'hui, et en cas de rupture, annoncer que vous vous êtes séparés. Ce n'est pas plus compliqué que ça, vous savez.

— C'est beaucoup plus logique quand vous le dites.

Cependant, je ne supportais pas l'idée que les choses puissent se terminer entre Jade et moi.

— Écoutez, je sais que vous partez de loin et je comprends très bien. Mais vous avez déjà fait beaucoup de progrès. Certes, vous avez encore du chemin à parcourir, et nous y parviendrons, mais si votre relation avec Jade vous rend heureux et vous procure du plaisir, pourquoi ne pas le crier à la face du monde ?

— Encore une fois, c'est tout à fait logique, dit comme ça.

— Rien ne vous oblige à prendre une décision maintenant. Mais pensez-y. Parlez-en à Jade. Faites-lui part de vos inquiétudes.

— Elle risque de ne pas comprendre.

— Peut-être pas, mais il est aussi tout à fait possible qu'elle comprenne.

— Et pour le tatouage, qu'est-ce que je dois faire ?

— Je crois que vous devez vous montrer honnête avec elle. Vous n'allez pas pouvoir lui interdire de se faire tatouer. C'est une femme indépendante et si elle en a envie, rien ne devrait l'en empêcher. Mais si vous lui expliquez pourquoi ce tatouage en particulier est un problème pour vous, je suis sûre qu'elle le comprendra.

— Nous en avons déjà parlé. C'est plus compliqué que ça.

— Certes, mais quoi qu'il en soit, ce ne serait sûrement pas la meilleure chose pour vous de voir le tatouage de l'un de vos agresseurs sur la femme que vous aimez. Je le comprends très bien, Tallon, et je suis sûre qu'elle le comprendra aussi.

— Espérons-le, Doc.

★ ★ ★

Quand je revins au ranch, Marj était en train de préparer un rôti de porc au cumin et au citron vert. Je humai le parfum fumé qui s'en dégageait.

— Ça sent bon, dis-je en me penchant pour caresser Roger.

— C'est ma thérapie à moi, répondit Marj. J'ai dit à Felicia de rentrer chez elle. J'avais besoin d'une petite séance de cuisine.

— Écoute, Marj...

— Stop. C'est si terrible, ce qui t'est arrivé, Tallon. Je n'arrête pas d'y penser. Et je sais que vous me l'avez caché pour me protéger.

Elle poussa un soupir.

— Parfois, je me dis qu'il vaut mieux ne rien savoir.

— Est-ce que tu regrettes qu'on t'ait tout raconté ?

Elle secoua la tête.

— Bien sûr que non. J'avais besoin de comprendre, et tout est plus clair, maintenant.

Elle marqua une pause.

— Tu dois le dire à Jade.

— Je ne suis pas prêt.

— Est-ce que tu l'aimes ? Je veux dire, est-ce que tu l'aimes vraiment ? Genre, le grand amour pour toujours ?

Je lâchai un soupir.

— Marj, il y a une chose que tu dois comprendre. J'aimerais

te répondre un « oui » haut et clair, sincèrement. Mais je n'ai aucun repère. Je n'ai jamais été en couple.

— Tallon…

— J'ai trente-cinq ans, je n'ai jamais eu de relation amoureuse avec une femme de toute ma vie, bon sang ! Et voilà que je rencontre la femme la plus merveilleuse au monde.

— Ça, c'est vrai. Jade est la meilleure.

— Donc, pour être honnête, je ne sais pas si c'est ça, le grand amour.

— Qu'est-ce que tu en penses ?

— Je crois que oui, répondis-je sincèrement. Mais comme je l'ai dit, je n'ai pas d'élément de…

— Arrête. Fais confiance à ton instinct. Et si tu veux que votre histoire dure, tu vas devoir tout lui raconter. Elle peut t'aider, sans te juger. Crois-moi, elle m'a soutenue pendant des périodes difficiles de ma vie.

Loin de moi l'idée de minimiser les « périodes difficiles » qu'avait pu connaître ma sœur à l'université, mais j'étais sûr et certain que ce n'était pas comparable aux horreurs que j'avais subies.

— Ça me fait peur.

— C'est compréhensible. Mais l'honnêteté est primordiale dans un couple. Tout comme la confiance.

La confiance.

Jade m'avait montré sa confiance. Elle me l'avait accordée sans poser de question, alors que je ne la méritais pas.

Pouvais-je lui faire le même cadeau ?

— Je lui dirai tout, Marj. Mais quand je serai prêt, à ma façon.

— Fais comme tu veux.

Ma sœur se retourna vers le plan de travail et commença à émincer un brocoli.

Reverrais-je un sourire sur son visage ? Quelques jours seulement s'étaient écoulés depuis que nous lui avions dit la vérité. Pour elle, la blessure était fraîche. Elle s'en remettrait. Nom de Dieu, si nous avions pu le faire, elle y arriverait aussi. Mais le sourire de Marj – le sourire édenté de ma petite sœur quand j'étais revenu de l'enfer – m'avait beaucoup aidé à surmonter cette horreur.

— Pour l'instant, je dois surtout trouver un moyen de l'empêcher de se faire tatouer.

— Encore un truc qui m'échappe, Tallon. Qu'est-ce que ça peut te faire qu'elle se fasse tatouer ?

— Tu ne comprends pas. Le tatouage qu'elle a choisi... cette image...

Marj cessa de couper son brocoli et se tourna vers moi.

— Quoi ?

— L'un de ces enfoirés qui m'ont enlevé... avait exactement le même.

La mâchoire de Marj se décrocha, son couteau lui échappa des mains et heurta bruyamment le sol, manquant de peu ses pieds chaussés de sandales.

Ramassant rapidement l'ustensile, je le posai sur le plan de travail.

— Marj ? Tout va bien ?

— Est-ce que Jade t'a dit où elle a trouvé cette image ?

Je hochai la tête.

— Oui, dans l'un des classeurs de Toby.

— C'est vrai. Mais ce n'est pas là qu'elle l'a vue en premier.

Mon sang se glaça.

— Où, alors ?

— Le nouveau petit ami de sa mère avait exactement le même. Sur l'avant-bras.

# Chapitre 13

JADE

Je venais de rentrer du travail et j'étais en train de me changer quand quelqu'un tambourina à ma porte.

— Une minute.

Je jetai mon foulard de soie rouge, mon pull-over en lin blanc et ma jupe noire sur le lit avant d'enfiler à la hâte un débardeur et un pantalon de jogging gris clair.

Je me dirigeai vers la porte.

— Qui est là ?

Il faudrait que je demande à Sarah d'installer un judas. Certes, Snow Creek était une petite ville, mais j'étais une jeune femme qui vivait seule. Et mieux valait que je puisse voir qui se trouvait derrière ma porte.

— C'est moi.

Tallon. Je lui ouvris. Il semblait enragé.

— Mon Dieu. Qu'est-ce qui ne va pas ?

— Le mec de ta mère. Il s'appelle comment ?

— Nico. Nico Kostas. Pourquoi ?

Tallon se rua vers l'évier et ouvrit le robinet.

— Je l'ai rencontré, nom de Dieu. Je lui ai serré la main, bordel.

L'eau devint très chaude et de la vapeur s'éleva de la cuve. Tallon préleva du savon liquide et se frotta furieusement les mains, qui rougirent sous la chaleur du jet.

Je courus vers l'évier pour fermer le robinet.

— Tu vas te brûler. Qu'est-ce que tu fais, bon Dieu ?

— Où est le mec de ta mère maintenant ? demanda-t-il entre ses dents serrées.

— Je... Je ne sais pas. Je ne l'ai pas revu depuis le soir de l'accident. Il a dit qu'il devait repartir à Des Moines. Il n'est jamais revenu.

— Putain de merde.

Tallon passa ses mains mouillées dans ses cheveux en désordre.

— J'y étais presque, putain !

— Tallon s'il te plaît. Explique-moi ce qui se passe.

Il se tourna vers moi et me saisit par les épaules.

— De quelle couleur sont ses yeux, Jade ? Ce type, Nico. Est-ce qu'il a les yeux marron ?

— Euh... oui, je crois. Je n'ai pas vraiment fait attention.

— Moi non plus, bordel. Si seulement... Merde !

— Tallon, tu me fais peur. Qu'est-ce qui se passe, à la fin ?

— Pourquoi tu ne me l'as pas dit ?

— Pas dit quoi ?

— Où tu avais vu ce putain de tatouage de phénix.

— Je te l'ai dit.

— Tu m'as dit que tu l'avais vu dans un des classeurs de Toby !

— C'est vrai. Je n'ai pas...

— Tu l'as d'abord vu sur lui ! Tu l'as vu sur cet enfoiré de psychopathe !

Psychopathe ? Nico m'avait certes paru mielleux, mais je m'étais seulement dit qu'il n'était pas mon genre.

— Tallon, ma mère ne sortirait pas avec un psychopathe.

Je savais tellement peu de choses sur ma mère, en vérité. Elle en était peut-être bien capable, après tout. Mais Nico, un psychopathe ?

— Eh bien, il se trouve que si.

Je secouai la tête pour m'éclaircir les idées.

— Je ne comprends pas. Je t'en prie, dis-moi juste ce que…

Me saisissant par les épaules, il écrasa sa bouche sur la mienne. C'était un baiser empli de colère, pour me punir. Mais pourquoi étais-je punie cette fois-ci ? Parce que je n'avais pas dit que c'était sur Nico que j'avais vu ce tatouage ?

Je m'ouvris pourtant à lui, le laissai prendre ce qu'il voulait de moi, me châtier avec ses lèvres et sa langue.

Il interrompit le baiser pour m'arracher mon débardeur.

— Grimpe sur le lit, m'ordonna-t-il durement.

— Tallon, je…

— J'ai dit : « Grimpe sur le lit. » Ne m'oblige pas à me répéter.

Les lèvres tremblantes, je lui obéis, la peur et l'excitation se le disputant en moi.

Je m'assis au bord du lit, la poitrine dénudée, mes tétons durcis avides de ses caresses. Il m'attrapa les jambes et m'enleva mon jogging, avant de déchirer ma petite culotte en dentelle.

— À quatre pattes, commanda-t-il.

J'obtempérai en frissonnant.

*Pan* ! Sa paume s'abattit sur mes fesses.

*Pan* ! *Pan* ! *Pan* ! Trois fois encore et la douleur me traversa, se muant en plaisir tandis que je poussai un cri.

— Bordel, Jade !

*Pan* ! *Pan* ! *Pan* !

— Tallon…

— Ferme-la, putain de merde !

*Pan* ! *Pan* ! *Pan* !

Je gémis dans la couette, me préparant à la claque suivante, mais ce fut une sensation légère comme une plume qui courut sur ma peau. Sur mes fesses d'abord, puis sur mon dos, avant de descendre le long de mes cuisses.

— Il est joli ce foulard rouge, yeux d'azur.

Mon foulard rouge. L'un des derniers cadeaux de Colin. Je m'étais débarrassée de presque tout ce qu'il m'avait offert, mais je n'avais pas voulu me séparer ce foulard que j'aimais beaucoup. Il ajoutait une touche de couleur à mes tenues d'avocate par ailleurs très strictes.

— Qu'est-ce qu'on pourrait faire avec ça ? demanda Tallon.

Sans répondre, je déglutis.

— Retourne-toi.

J'obéis, le postérieur en feu.

Tallon passait et repassait le foulard entre ses doigts.

— Je crois que je vais l'utiliser pour te bander les yeux.

Sa voix, toujours très dure et froide, exprimait aussi son désir.

— Je vais te bander les yeux, Jade et puis je vais te faire tout ce que je veux.

Mes tétons étaient déjà turgescents. Une bouffée d'adrénaline se déversa dans mes veines. Je n'avais aucune idée de ce qu'il allait faire et je m'en fichais pas mal. Le miel coulait de mon sexe.

— J'aimerais t'attacher les mains, mais il n'y a pas de montants sur ce lit.

— Bien sûr que non, c'est un futon.

— Tu vas donc devoir garder les mains immobiles. Et si tu les bouges, tu seras punie. Assieds-toi.

J'obéis, puis il positionna le foulard sur mes yeux et le noua derrière ma tête. Le contact frais de la soie était très agréable et je n'y voyais plus rien.

— Allonge-toi, les bras à plat sur le lit, paumes tournées vers le bas.

Je m'exécutai aussitôt.

— Ne déplace pas tes mains. Au moindre mouvement, tu seras fessée.

Je devais avoir les fesses cramoisies, mais l'idée de quelques claques supplémentaires ne me rebutait pas.

Pendant un moment, rien ne se passa. Tallon allait et venait dans l'appartement, le plancher crissant sous ses pas. Que faisait-il ? Je n'en avais pas la moindre idée jusqu'à...

— Oh !

Quelque chose de froid toucha mon mamelon. De la glace.

— Ta peau est tellement brûlante, Jade, que ça fond tout de suite à ton contact.

De petits filets d'eau ruisselèrent sur mon sein comme si un bloc de glace dégelait sur ma peau.

La même sensation glacée sur mon autre téton, et l'eau froide ruissela bientôt sur mon autre sein.

— C'est comment, bébé ?

C'était une sensation totalement nouvelle pour moi, mais très agréable.

— C'est bon.

Je ressentis encore une fois le saisissement du froid sur chaque mamelon, puis autour de mes seins, en cercles de plus en plus larges. Le glaçon descendit ensuite sur mon ventre, s'arrêtant une seconde au creux de mon nombril avant de continuer jusqu'à ma vulve et de me taquiner le clitoris.

— Oh !

Je gardai les mains immobiles, plaquées sur le matelas.

— Bien, bien, grogna-t-il. Maintenant, je vais déposer ce glaçon dans ta petite chatte brûlante. Ne pense même pas à déplacer tes mains.

Mes cuisses se mirent à trembler tandis que le glaçon se liquéfiait dans ma grotte.

— Écarte les jambes en grand, bébé. C'est ça. Maintenant, je vais sucer ton bouton avec ce glaçon dans ton sexe. Attention à tes mains.

Je tremblais comme une feuille.

— Oui, bébé, voilà l'eau qui arrive. Ta petite chatte incandescente fait fondre la glace.

Sa langue titilla mon clitoris.

Je me cramponnai à la couette, m'intimant l'ordre de ne pas bouger les mains. Je mourais pourtant d'envie de me toucher les seins, de pincer mes tétons et de jouer avec eux. Mais j'étais résolue à ne pas lui désobéir.

Il happa mon clitoris entre ses lèvres et le froid me pénétra.

Mon Dieu, il avait aussi un glaçon dans la bouche.

Il me suça, suça mon sexe à pleine bouche. Et je m'agrippai bientôt aux draps, emportée par un orgasme tellement profond et incroyable que je ne savais plus où j'étais.

— Oui, bébé, jouis pour moi. Jouis sur moi.

Le glaçon dans mon sexe devait être entièrement fondu, parce que je sentis alors les doigts de Tallon aller et venir en moi pour cueillir ma jouissance jusqu'à la dernière goutte.

Sa bouche revint sur mon clitoris.

— Jouis encore pour moi. Jouis.

Un nouvel orgasme déferla. Mon corps tout entier fut saisi d'un tremblement et j'avais l'impression de m'envoler vers les étoiles.

— C'est ça, bébé. Jouis. Jouis à mon commandement.

Mes cuisses étaient encore parcourues de frissons à cause de cette sensation de froid. Existait-il quelque chose de plus délicieux ?

Apparemment de leur propre volonté, mes doigts remontèrent jusqu'à mes seins pour taquiner un téton dressé.

Mais Tallon s'en aperçut. Et au fond de moi, c'était ce que j'attendais.

— Je t'ai ordonné de garder tes mains immobiles.

Il me retourna aussitôt sur le ventre et...

*Pan* !

— Oh, bébé, ton cul est magnifique, rougi par la fessée.

*Pan* ! Et puis sa langue – encore un glaçon – se plaqua sur mon anus.

Je tressaillis avec un grognement, le visage enfoui dans la couette.

— Tu aimes ça, bébé ? Tu aimes sentir ma langue glacée dans ton cul ?

— Oui, oui, marmonnai-je dans les draps

Alors que la glace fondait, l'eau ruissela doucement vers les lèvres tuméfiées de mon sexe. Je déglutis, étreignant de nouveau la couette.

— Détends-toi, maintenant, bébé. Je vais introduire ce glaçon dans ton rectum.

La sensation de froid m'ouvrit en deux et je m'obligeai à détendre mes muscles. Quand le glaçon franchit mon sphincter, je hoquetai.

— C'est ça, bébé, ça fond tellement vite.

Bientôt je ne sentis plus que le filet d'eau fraîche.

— Tallon, bon Dieu. Oh...

— Oui, bébé. Ce petit cul est à *moi*.

Et sa langue brûlante remplaça le froid.

Il l'introduisit dans mon anus, puis de nouveau ses doigts dans mon sexe.

J'étais en train de perdre la raison et j'explosai bientôt en un feu d'artifice qui m'emporta au septième ciel.

— Tallon, s'il te plaît. Je veux sentir ta queue en moi. S'il te plaît.

J'entendis le cliquetis de sa ceinture qu'il débouclait, sa braguette s'ouvrir. Puis...

Il s'enfonça en moi, me remplissant complètement.

— Oh, bébé, tu es tellement bonne.

— Oui, c'est bon.

— Et tes belles fesses toutes rouges. Tu aimes que je te fesse, bébé ? Tu aimes ça ?

— Oui, sanglotai-je dans la couette.

Il se mit en mouvement, me pilonnant à puissants coups de reins.

— Je veux que tu jouisses encore pour moi, bébé. Je vais t'emmener dans les étoiles.

Ses mots me précipitèrent dans l'abîme. Je fus emportée, le corps tremblant, dans un tourbillon de sensations qui culminèrent dans mon sexe.

— Mon Dieu, Tallon, mon Dieu.

— C'est ça, bébé, jouis. Jouis sur moi.

Il accéléra la cadence.

Dans un ultime grognement, il s'enfouit tout au fond de moi alors que mon orgasme s'achevait, et les pulsations de sa queue quand il éjacula me propulsèrent de nouveau dans la spirale de la jouissance. Encore, encore, encore.

Quand il se retira enfin et s'écroula à côté de moi sur le lit, je m'effondrai à plat ventre et roulai sur le flanc pour lui faire face. Quand je retirai le foulard, mes larmes coulèrent à flots. Sans que je sache pourquoi, retrouver la vue m'émouvait plus que de raison.

— Tallon...

Il ouvrit les yeux et me regarda.

— Bébé, ne pleure pas.

— Ne t'inquiète pas, ce sont des larmes de bonheur.

— Je ne t'ai pas fait mal ?

Je secouai la tête.

— Non, tu ne m'as pas fait mal. Ça n'arrivera jamais.

— Je n'en suis pas si sûr. J'avais tant de colère en moi quand je suis arrivé.

— Je suis désolée de ne pas t'avoir dit où j'avais vu le tatouage. Je ne pensais pas que c'était important.

Il soupira, de nouveau agité par ce qui le dévorait de l'intérieur.

— Tu n'as pas idée.

— Parle-moi. Explique-moi ce qui se passe. Dis-moi ce que ce Nico Kostas signifie pour toi.

— C'est le diable incarné.

Je faillis tomber du lit.

— Pourquoi tu dis ça ?

— Je ne peux pas te donner de détails pour l'instant.

Je me redressai en position assise.

— Tallon, ma mère sort avec cet homme. S'il est le diable incarné comme tu le dis, il faut que je le sache. Il faut que je l'éloigne d'elle.

— Je croyais qu'elle ne représentait rien pour toi.

— Elle reste ma mère. La femme qui m'a donné la vie. Quand je l'ai vue sur son lit d'hôpital, si vulnérable, ça m'a bouleversée. Je souhaite qu'elle se rétablisse. Et quand elle sortira, je ne veux pas qu'elle soit au contact de quelqu'un de mauvais.

Tallon secoua la tête.

— Yeux d'azur, si tu savais.

— Alors dis-moi. Je t'en prie. Raconte-moi tout. Je suis capable de tout entendre. Je te le promets.

— J'aimerais pouvoir le faire, Jade. Mais je ne suis pas encore prêt. Surtout, ne laisse pas ce type s'approcher de ta mère.

— Ce n'est pas un problème pour l'instant. Après notre arrivée à l'hôpital, l'autre soir, il est parti. Il a dit qu'il devait rentrer à Des Moines et je ne l'ai pas revu depuis.

Tallon s'éclaircit la voix.

— Ça ne m'étonne pas.

— Pourquoi ?

— Je ne peux pas donner de détails. Mais je le retrouverai, Jade. Je le retrouverai, ça, je te le promets.

# Chapitre 14

TALLON

Elle n'insista pas davantage pour que je lui parle du tatouage de Nico Kostas, et je lui en fus reconnaissant. Pourtant, l'expression de son beau visage me montrait bien que nous n'en avions pas terminé. Je n'étais pas surpris. Je la connaissais suffisamment bien, à présent.

Elle se redressa avec un petit cri.

— Ça va ? m'inquiétai-je.

Elle laissa échapper un petit rire.

— Oui, j'ai un peu mal aux fesses.

— Je suis désolé, yeux d'azur. Tu dois me dire si j'y vais trop fort. Il est peut-être temps qu'on choisisse un mot de sécurité.

— Un mot de sécurité ?

— Oui. C'est un outil dont se servent les dominants et les dominés. Un code qui veut dire « stop ».

— Pourquoi ne pas dire « stop », tout simplement ?

Je lâchai un rire.

— Parce que certaines personnes aiment réaliser leurs fantasmes, comme celui d'être agressé ou attaqué, et crier « stop » en fait partie.

— Je peux t'assurer que je n'ai pas de fantasmes de ce genre.

— D'accord. Eh bien, « stop » sera ton mot de sécurité.

— Ça me convient.

— Alors, pourquoi tu ne m'as pas demandé d'arrêter, tout à l'heure ?

— Parce que, se contenta-t-elle de répondre. Tallon, j'ai envie de te satisfaire. Plus que tout au monde. Et tu avais clairement besoin de ça, ce soir. Tu avais besoin de me fesser. Tu étais en colère et je voulais t'aider.

— Te faire souffrir, ce n'est pas ce qui me satisfait, yeux d'azur.

— Je le sais. Si j'avais atteint le maximum de ce que je pouvais supporter, je t'aurais demandé d'arrêter. Mais je suis capable d'encaisser beaucoup de choses, Tallon, et je veux te donner ce dont tu as besoin.

Existait-il femme plus merveilleuse sur cette planète ? Une femme faite pour moi. Car Jade était exactement cela. J'étais bien décidé à me rendre digne d'elle et de son amour. Et de sa confiance.

— Je voudrais te dire une chose, yeux d'azur.

— Je t'écoute, répondit-elle en me caressant la joue.

— Je ne veux pas que tu considères ça comme une faiblesse.

— Tallon, tu es sans doute la personne la plus forte que je connaisse.

— Comment peux-tu dire ça ? Tu m'as vu dans tous mes états – fou, en colère, presque délirant.

— Et tu finis toujours par reprendre tes esprits.

Je marquai une pause, puis poussai un soupir.

— Je consulte une thérapeute depuis quelque temps.

Elle ne cilla pas.

— Ah ?

— Oui. J'ai pas mal de trucs à résoudre.

— Par rapport à ce qui est arrivé en Irak, tu veux dire ? Ou s'agit-il d'autre chose ? Il y a sûrement autre chose.

Elle me connaissait trop bien. La plupart des gens partaient du principe que je souffrais de stress post-traumatique depuis l'Irak. Pour être honnête, ce que j'avais vécu à l'armée m'avait moins traumatisé que ma séquestration.

— Oui, il y a autre chose.

— Est-ce que tu veux m'en parler ?

— Pas encore, yeux d'azur. Mais je le ferai en temps voulu, je te le promets.

Dieu la bénisse, elle n'insista pas. Mais elle n'avait pas terminé.

— Est-ce que je peux dire à tout le monde qu'on est en couple, maintenant ? Après tout, c'est de là que tout est parti.

Tout en moi me hurlait de refuser, que je n'étais pas prêt. Mais je devais avancer, sortir de ma zone de confort. Ce serait un bon début.

— Oui, yeux d'azur. Je serais fier et honoré que tout le monde sache que je suis avec toi.

Elle sourit d'une oreille à l'autre, puis grimpa à califourchon sur moi et pressa ses lèvres brûlantes sur les miennes. Nous échangeâmes un baiser avide jusqu'à ce que mon sexe se raidisse à nouveau sous elle. Elle ne perdit pas une seule seconde. Elle s'empala sur moi et me chevaucha, lentement cette fois-ci. C'était délicieux.

— Je t'aime, Tallon, dit-elle en jouant avec ses tétons tout en coulissant sur ma queue. Je t'aime tellement.

— Je t'aime aussi, Jade.

Je mis tout mon cœur et mon âme dans ces mots, espérant qu'elle le sentirait.

Nous atteignîmes l'orgasme ensemble, en parfaite harmonie, totalement synchrones, telles deux cordes d'un même violon vibrant au rythme de la même partition.

Quand nous redescendîmes, repus l'un de l'autre, elle roula sur le flanc et se blottit dans mes bras.

— Tallon ?

— Oui ?

— Je voudrais te parler de quelque chose.

— De quoi, yeux d'azur ?

Elle soupira.

— De Colin.

Je me crispai. Mon sang ne fit qu'un tour.

— Tu veux parler de lui alors qu'on vient de faire magnifiquement l'amour ?

— Ça n'a rien à voir, je te le promets. C'est juste que son père m'a appelée plusieurs fois. Il a apparemment disparu.

— Bon débarras, lâchai-je.

— C'est sérieux. Il a vraiment disparu. Et mon patron aussi, Larry Wade.

— Eh bien, si tu veux mon avis le monde se porte mieux sans eux, mais rien de tout ça ne me concerne.

— Je veux juste que tu sois prudent. Tout le monde sait que Colin et toi n'êtes pas dans les meilleurs termes. Les gens risquent de poser des questions. C'est pour ça que Steve Dugan est venu me voir.

— Il ne m'a pas interrogé, moi.

— Il va le faire. J'ai dû lui dire la vérité, Tallon. Je l'ai informé que j'avais vu Colin pour la dernière fois ce vendredi soir, quand tes frères et toi nous avez surpris ensemble. Tu te souviens ? Il a ri et dit qu'il serait au tribunal le lundi suivant. Et finalement, il n'est pas venu.

— Je me suis dit qu'il avait dû se raviser.

— C'est ce que j'ai pensé aussi, sur le moment. Mais en fin de compte, j'étais surtout soulagée qu'il ne soit pas là. Ça ne lui ressemble pas du tout. Il avait juré de nous causer des ennuis, et d'ordinaire, lorsque Colin se met quelque chose en tête, il va jusqu'au bout.

— Donc tu imagines qu'il lui est arrivé quelque chose entre-temps.

— Je crois que c'est très possible, oui. Je m'attendais à ce qu'il vienne au tribunal.

— Tu veux que je mène mon enquête, yeux d'azur ?

— Non. Tu as assez à faire entre tes séances de thérapie et le ranch. Je vais me débrouiller. Mais je suis contente de savoir que tu n'as rien à voir là-dedans.

— Je déteste ce type, je ne peux pas dire le contraire, mais je ne l'ai pas revu depuis la dernière fois.

— Et tes frères ?

— Yeux d'azur, mes frères sont assez intelligents pour ne pas s'embarquer dans une embrouille. Tu peux me croire. En général, ce sont *eux* qui s'inquiètent pour moi. Ils ont tous les deux la tête sur les épaules.

— Je sais bien, mais Colin les a poussés à bout. Même Ryan a perdu son sang-froid, à la fin.

— C'est vrai. Et il en faut beaucoup pour énerver Ryan.

— Mais Colin a réussi.

Exact. Et Ryan ferait n'importe quoi pour moi.

— Si ça te rassure, je vais en toucher deux mots à mes frères. Mais je peux te garantir à quatre-vingt-dix-neuf virgule neuf pour cent qu'ils n'ont rien à voir avec sa disparition.

— D'accord, merci.

— Et ton patron a disparu, lui aussi ?

— Oui. C'est vraiment bizarre. Il a quitté le bureau plus tôt vendredi, pour emmener ses petits-enfants quelque part. Puis ce soir-là, vers minuit, je suis presque sûre de l'avoir vu parler à Nico dans le couloir de l'hôpital. Mais ils se sont volatilisés aussitôt, alors j'ai pu me tromper. Je n'ai revu aucun d'eux depuis.

Je me crispai à nouveau. Larry Wade. Je ne savais pas grand-chose à son sujet, sauf qu'il était arrivé en ville pour être nommé procureur municipal à la place du précédent qui avait pris sa retraite. Mais s'il fréquentait Nico Kostas... Mon sang se glaça dans mes veines.

— Bref, le maire est furieux que personne n'arrive à le joindre, poursuivit Jade. Et du coup, il m'a nommée procureur en attendant qu'on le retrouve.

— C'est une bonne chose, non ?

Elle lâcha un rire.

— Je ne te le fais pas dire ! La déontologie sera respectée tant que je serai aux commandes.

— C'est quand même grâce à son sens discutable de la déontologie que je m'en suis tiré avec Colin.

— Pas faux. Mais c'est une ordure, Tallon, et...

Elle s'interrompit brusquement, comme si elle avait voulu ajouter quelque chose et s'était ravisée.

— Et ?

— Et... quoi ?

— Non, rien.

J'étais curieux d'entendre la suite, mais elle avait respecté ma retenue à propos de ce que je préférais garder pour moi, alors je n'insisterais pas.

Elle se redressa brusquement en position assise.

— Oh, mon Dieu.

— Quoi ?

— Tu crois que les disparitions de Colin et Larry sont liées ?

— Non, je ne vois pas pourquoi. Colin a disparu bien avant Larry.

— C'est juste que... C'est quand même très étrange. Qu'est-ce qui aurait pu pousser Larry à se volatiliser ? Il avait une bonne situation en tant que procureur municipal. Certes, c'est une ordure, mais pour ce que j'en ai vu, il avait de bonnes relations avec ses petits-enfants. Pourquoi tout abandonner ?

— Je ne sais pas, yeux d'azur. Mais je peux te donner les noms de très bons détectives privés, si tu veux lancer des recherches.

— J'ai tout ce qu'il me faut au bureau du procureur. Je peux mener mon enquête moi-même.

Elle se rallongea et se blottit dans mes bras.

— Tallon, tu veux bien rester avec moi cette nuit ?

Je me raidis une fois de plus. Elle me demandait la seule chose que je ne pouvais pas lui donner.

— Je ne peux pas, yeux d'azur. Tu sais pourquoi.

★ ★ ★

Agrippé aux accoudoirs du fauteuil inclinable de cuir vert, j'avais l'estomac noué. Je n'arrêtais pas de penser au petit ami de la mère de Jade, l'homme appelé Nico Kostas. J'avais tapé son nom sur Google en rentrant chez moi.

Internet avait très peu de choses à révéler à son sujet, ce qui était surprenant pour quelqu'un qui était censé faire de la politique.

— Vous semblez plus nerveux que d'ordinaire, fit remarquer le docteur Carmichael.

Par où commencer ?

— Vous vous souvenez du tatouage ? L'image du phénix que Jade voulait se faire graver sur la peau ?

Elle hocha la tête.

— J'ai appris quelque chose, hier. Elle n'a pas simplement trouvé ce modèle dans un classeur. Elle l'a vu sur quelqu'un. Sur l'avant-bras d'un homme.

Les yeux verts du docteur Carmichael s'arrondirent.

— De qui ?

— Du petit ami de sa mère. Il s'appelle Nico Kostas et prétend être sénateur de l'Iowa, mais il ment. Je n'ai trouvé aucune trace de lui nulle part.

Je me mis à trembler.

— Je l'ai rencontré. Je lui ai serré la main, putain de merde.

— Je comprends que ce soit difficile pour vous. Mais Tallon, ce n'est pas parce que cet homme porte le même tatouage que celui de vos souvenirs que c'est lui qui vous a enlevé et torturé.

Je le savais. D'un point de vue objectif, je savais qu'elle avait raison. Mais les poils de ma nuque se hérissaient. Il y avait forcément un lien. Je le sentais au plus profond de mon être.

— Ça ne peut pas être une coïncidence, Doc. Il porte le même tatouage, exactement au même endroit – sur l'avant-bras gauche.

— Oui, cela me paraît très étrange à moi aussi, dit-elle. Mais vous n'avez aucune preuve que…

— Merde !

Mon poing s'abattit sur l'accoudoir en cuir.

— Je ne sais pas comment l'expliquer. Je le *sais*, point barre. Je sais au plus profond de moi que c'est lui.

— Vous dites que vous l'avez rencontré ?

— Oui. La mère de Jade a eu un accident de voiture, c'est lui qui conduisait. Il s'en est sorti sans une égratignure, mais l'airbag de la mère de Jade ne s'est pas déployé et elle a été gravement blessée.

— Bonté divine. Est-ce qu'elle va s'en sortir ?

— Les médecins le pensent. Elle est inconsciente la plupart du temps, mais son pronostic vital n'est plus engagé.

— C'est déjà ça. Dites-moi, Tallon, avez-vous ressenti une impression de déjà-vu lorsque vous avez rencontré cet homme ?

Je fis non de la tête.

— Je ne reconnaîtrais aucun d'eux si je les croisais dans la rue. Ils étaient toujours masqués. Tout ce dont je me souviens concernant le pire d'entre eux, c'est ce tatouage sur son bras gauche et ses yeux bruns.

— Et ce Nico, avait-il les yeux bruns ?

Je fermai les paupières.

— Je n'ai pas fait attention. Mais je crois que oui, et Jade aussi. Il est de type méditerranéen. La peau mate, les cheveux noirs. Alors il a sûrement les yeux bruns.

— Vous devriez creuser ça, Tallon, suggéra le docteur Carmichael. Ce sera peut-être un coup d'épée dans l'eau, mais ça vaut le coup d'essayer.

— J'en ai bien l'intention. Mais ce type semble s'être volatilisé. Comme le patron de Jade. Pouvait-il y avoir un lien entre les deux hommes ?

— Je me demande…

— Quoi ?

— Quand vous l'avez rencontré, vous avez dû lui donner votre nom, n'est-ce pas ?

— Oui, ou c'est Jade qui m'a présenté. Je ne me rappelle plus.

— Hmm. Ce n'est peut-être qu'une coïncidence qu'il ait disparu juste après, Tallon. Ou alors, c'est précisément ce qui l'a fait fuir.

Mon Dieu. C'était trop dur à encaisser. Était-il vraiment possible que j'aie retrouvé l'un de mes ravisseurs ? Pour qu'il me file entre les doigts ? Mon cerveau n'était pas prêt à traiter toutes ces informations, alors je fis la seule chose dont je me sentais capable en cet instant : je changeai de sujet.

— Jade m'a demandé de rester dormir avec elle, la nuit dernière.

Je me cramponnai aux accoudoirs de ce satané fauteuil en cuir vert.

— Et alors ? demanda le docteur Carmichael.

— Alors, je n'ai pas pu. Vous savez pourquoi.

— En aviez-vous envie ?

— Bien sûr. Plus que tout.

C'était la pure vérité. Être auprès d'elle était mon plus grand désir. Je ne voulais pas la quitter des yeux. De tout mon être, je souhaitais être un rempart pour elle. Mais je n'étais pas encore prêt. Avant de pouvoir la protéger, je devais me guérir moi-même.

— Quand pensez-vous être capable de passer la nuit avec elle ?

— Je ne sais pas. Et si ça n'arrivait jamais ?

Le docteur Carmichael sourit.

— Vous en serez capable un jour, Tallon. Nous allons faire le nécessaire pour que vous vous en sortiez, et un jour, vous pourrez passer la nuit avec la femme que vous aimez.

J'espérais de tout mon cœur qu'elle dise vrai.

— J'aimerais suggérer un sujet à aborder aujourd'hui, dit-elle.

Parfait – ça m'évitait d'avoir à en trouver un moi-même.

— D'accord. De quoi souhaitez-vous parler ?

Elle me tendit une feuille de papier.

— De ceci.

C'était une photocopie d'un article du *Quotidien de Snow Creek*. « Le retour du héros. » Bon sang. Je me doutais qu'il en serait question tôt ou tard. Les nerfs à vif, je parcourus l'article.

★ ★ ★

*Le soldat Tallon Steel est rentré au pays la semaine dernière, décoré de la Médaille d'honneur. Incorporé dans le Corps des Marines avec le grade de sous-lieutenant, il a rapidement pris du galon grâce à son engagement et à son héroïsme, devenant lieutenant, puis capitaine. Il a d'abord été déployé en Afghanistan, puis en Irak.*

*La Médaille d'honneur lui a été remise par le gouverneur de l'État du Colorado en raison de six incursions sous le feu des tirs ennemis pour sauver six soldats américains. Le capitaine Steel était âgé de trente-deux ans quand il est revenu. Il a été libéré de ses obligations de service avec les honneurs.*

*« Le capitaine Steel est un héros pour nous tous et un très bel exemple pour les citoyens de l'État du Colorado, a ajouté le lieutenant-gouverneur. Nous sommes fiers qu'il soit rentré au pays dans notre magnifique État. »*

★ ★ ★

J'interrompis ma lecture, mais jetai un œil à la dernière ligne.

*Le capitaine Steel n'a fait qu'un commentaire : « Je ne l'ai pas fait pour être un héros. »*

Je poussai un soupir.

— Je me doutais que vous finiriez par mettre la main là-dessus.

— C'est formidable. Vous êtes un vrai héros.

Un héros. Encore ce mot qui revenait sans cesse. Les gens adoraient me qualifier de héros, surtout mon petit frère. Je n'étais pas un héros. En tout cas, je ne m'en sentais pas l'étoffe.

— Quel sentiment vous donne cet article, Tallon ?

Pourquoi ne pas admettre la vérité ?

— Il me donne l'impression d'être un imposteur, un escroc. Je ne suis pas un héros.

— Permettez-moi de vous contredire. Vous avez sauvé la vie de six soldats. À mes yeux, et à ceux de la plupart des gens, c'est un acte héroïque.

— Vous voulez savoir quel genre de héros j'ai été, ce jour-là ?

Je m'agrippai au fauteuil.

— Je suis retourné sauver ces gars parce que j'espérais me faire canarder.

Elle ne cilla pas.

— Vraiment ? Parlons-en un peu. Pourquoi essayiez-vous de vous faire tuer ?

— Parce que la vie m'était insupportable. Ça vous surprend ?

— Non, mais si vous teniez à ce point à mourir, pourquoi ne pas vous être ôté la vie vous-même ?

Une question que je m'étais posée plus d'une fois.

— Je ne sais pas. J'y ai pensé, mais quelque chose m'en a empêché.

— Votre volonté de vivre. L'instinct de survie est très fort chez l'être humain.

Fermant les yeux, je repensais à tout ce qui m'était arrivé pendant cette période odieuse, aux paroles immondes que j'avais prononcées sous la contrainte, pour qu'ils ne me tuent pas. Ma volonté de vivre…

— À quoi pensez-vous ? demanda-t-elle.

— Jusqu'à récemment, je ne pensais pas avoir envie de vivre. Quand j'étais retenu captif et qu'ils menaçaient de me tuer si je ne faisais pas ce qu'ils me disaient, des choses d'affreuses, j'obéissais toujours. Et je me détestais pour ça.

— Mais vous l'avez fait pour survivre.

Je me massai la mâchoire, ma barbe de trois jours me râpant les doigts.

— Ça n'a aucun sens. Pendant tout ce temps, j'aurais préféré mourir. Alors, pourquoi m'acharner à survivre ? Pourquoi est-ce que j'ai fait tout ce qu'ils me demandaient pour échapper à la mort ?

— Quel genre de choses vous forçaient-ils à faire ?

Formuler cela à voix haute serait une vraie torture. Mais j'étais déterminé à aller au bout.

— Souvent, ils m'obligeaient à dire que…

Je déglutis, réprimant la nausée qui montait.

— Que j'aimais ce qu'ils me faisaient.

Je serrais les accoudoirs à m'en faire pâlir les jointures.

— Je sais que c'est dur à dire pour vous, mais cela fait partie du processus de guérison. Y avait-il autre chose ?

— Ils menaçaient de me tuer si je vomissais. Même la première fois, quand je les ai vus...

— Continuez.

— Mon ami Luke Walker. Le gamin que Ryan et moi cherchions le jour où ils m'ont enlevé. Il était déjà mort, mais ils m'ont forcé à regarder pendant qu'ils...

Ma peau se glaça, mes entrailles se nouèrent et mon estomac menaça de se révulser.

— Tout va bien. Inspirez, expirez. Quand ça devient trop difficile, il vaut mieux se concentrer sur l'essence de la vie. La respiration.

Je respirai lentement, à plusieurs reprises. La tension m'oppressait toujours, mais c'était un début.

— Ils m'ont dit que si je vomissais ou si je me faisais dessus, ils...

Les images apparurent dans mon esprit. Le corps de Luke Walker – déjà mort, heureusement – massacré, mutilé. Le craquement de ses os. Sa cervelle et ses yeux tandis qu'ils lui explosaient le crâne.

— Respirez, Tallon.

★ ★ ★

— *Ne t'avise pas de vomir, petite pute. Regarde. Ne ferme pas les yeux.*

*J'eus un haut-le-cœur. Je dus déglutir à maintes reprises, m'efforçant désespérément de refouler la nausée qui me montait dans la gorge.*

— *Tu vois ? C'est ce qui se passe quand on en a terminé. Voilà ce qui t'attend quand on en aura fini avec toi.*

*Mes genoux se dérobèrent sous moi, mais je ne tombai pas, retenu par l'un des hommes. Il me maintenait fermement par les épaules, m'immobilisant pendant que l'autre…*

*Au moins, Luke ne criait pas.*

*Il était déjà mort.*

*Personne ne devrait jamais savoir à quoi ressemble un crâne fracassé. Moi, je le saurais, pour le peu de temps qu'il me resterait à vivre. Une bouillie rouge et gélatineuse qui dégouline…*

*Cette image resterait gravée dans mon esprit.*

★ ★ ★

— Ils l'ont découpé en morceaux. Les bras, les jambes…

Je déglutis.

— Ils lui ont fracassé le crâne avant de lui couper la tête.

Les lèvres du docteur Carmichael tremblèrent. Très légèrement, mais je le remarquai. Elle s'efforçait de garder son calme. C'était une spécialiste des traumatismes infantiles, mais elle n'avait sans doute jamais rien entendu de pire. Je n'avais pas l'intention de le lui demander.

— Je regrette sincèrement que vous ayez dû vivre tout cela, dit-elle en se raclant la gorge.

— Parfois, quand j'y repense, quelque chose m'échappe, Doc. Avec toutes les horreurs que j'ai subies, pourquoi me suis-je autant battu pour survivre ?

# Chapitre 15

JADE

J'avais reçu un coup de fil de mon père vers midi. Ma mère connaissait enfin des périodes d'éveil de plus de quelques secondes d'affilée, et elle voulait me voir. On était vendredi et puisque j'étais désormais le procureur suppléant, je m'accordai le reste de la journée. Je saluai Michelle et David et me rendis, avec la Ford Mustang que j'avais empruntée aux Steel, à l'hôpital Valleycrest de Grand Junction.

Je trouvai mon père dans la salle d'attente du service de soins intensifs. Il me serra contre lui.

— Son apparence est bien meilleure, Jade. Mais ce n'est pas Brooke Bailey.

Il sourit.

— Nous ne l'avons pas laissée se regarder dans un miroir.

Je ne pus m'empêcher de glousser.

— Oui, elle serait dévastée.

Mais peut-être que maintenant elle comprendrait que le physique n'est pas ce qui compte le plus au monde.

— Elle te réclame. Elle n'arrête pas non plus de réclamer son Nico.

À son nom, mon sang se glaça. Depuis la réaction de Tallon, je ne voulais pas que ce Nico Kostas s'approche de ma mère.

— Il n'est pas revenu, alors ? demandai-je avec espoir.

Mon père secoua la tête.

— Pas que je sache. Cela dit, je ne le reconnaîtrais pas si je le voyais.

— C'est un grand baraqué, de type méditerranéen. Plutôt pas mal de sa personne.

— Et il lui fait probablement des tas de cadeaux, sourit mon père, et je ne pus m'empêcher de l'imiter.

— Je peux entrer ?

Mon père opina.

— Je sais qu'elle sera heureuse de te voir.

Je lui étreignis brièvement la main avant de pénétrer dans le service des soins intensifs. Une infirmière était occupée à prendre les constantes de ma mère.

— Je suis désolée de vous déranger. Il vaut mieux que je revienne dans quelques minutes ?

Les lèvres craquelées de ma mère esquissèrent un sourire.

— Non, c'est ma fille. Je veux qu'elle reste.

L'infirmière sourit et se redressa.

— Les patients ont toujours raison. J'ai fini de toute façon. Quelques minutes, seulement, ajouta-t-elle. Madame Bailey se fatigue vite.

— Je comprends.

Je m'assis sur la chaise au chevet de ma mère.

— Comment ça va, maman ?

Elle soupira.

— J'ai connu des jours meilleurs, répondit-elle d'une voix lasse. Mais je suis contente de te voir.

— Je suis désolée de ne pas avoir pu venir cette semaine.

— Ne t'inquiète pas de ça. Ton père m'a tout expliqué. Ton travail est important, Jade.

Est-ce que je parlais bien à ma mère ? Celle qui avait toujours fait passer Brooke Bailey avant tout le reste ? Ma mère affirmait que mon travail était important ?

— Je peux rester pour le week-end si tu le souhaites. Il faudra que je retourne travailler lundi. Je suis le procureur municipal suppléant maintenant et ma présence est nécessaire dans le service.

— Le procureur municipal suppléant ? Comment c'est arrivé ?

Je secouai la tête.

— C'est une longue histoire, maman. Je t'expliquerai plus tard, quand tu iras mieux.

Elle soupira.

— Bon, si tu crois que c'est préférable.

Interloquée, je la scrutai. Était-ce vraiment Brooke Bailey que j'avais sous les yeux ? Jamais auparavant elle n'avait accordé la moindre attention à ce que je pensais préférable. Jamais elle ne s'était souciée de ce qu'une autre personne qu'elle-même pouvait trouver préférable.

— Alors, tu sais ce qui t'est arrivé ?

— J'ai eu un accident. L'airbag ne s'est pas déployé, manifestement.

— C'est ça. Tu as vraiment de la chance d'être encore vivante.

— Oui, je suppose. Ma carrière de mannequin est terminée, on dirait, même si c'était déjà plus ou moins le cas depuis un certain temps.

— Tu souffres beaucoup ?

— Non. Ils m'ont bien assommée d'antidouleurs. Je ne veux pas penser à mon genou en miettes.

— Ils vont bien s'occuper de toi ici. Ils ont assuré jusqu'à maintenant. Les médecins t'ont sauvé la vie.

— Je le sais. Mais je ne comprends pas.

— Tu ne comprends pas quoi ?

— Où est Nico ? Est-ce que vous me cachez quelque chose ?
Il n'est pas… mort, n'est-ce pas ? Ton père ne fait qu'esquiver mes
questions.

Je ravalai la boule qui s'était formée dans ma gorge. Je ne voulais
pas mentir à ma mère, mais je ne voulais pas non plus compromettre
sa santé.

— Ne t'inquiète pas pour Nico. Tu dois t'occuper d'aller mieux.

Elle écarquilla les yeux autant qu'elle le pouvait.

— Jade, ton père… Il a toujours eu des sentiments pour moi, quoi
qu'il arrive. Même quand je suis revenue alors que tu avais quinze ans
et que je voulais réintégrer vos vies, il était prêt à me reprendre, mais
il a choisi de ne pas le faire, pour toi. Parce que tu y étais tellement
opposée.

— Maman, c'est le genre de discussion qui va te faire stresser et
tu n'as pas besoin de ça.

— Jade, s'il te plaît, j'ai besoin de l'exprimer.

Je poussai un soupir.

— D'accord. Je t'écoute.

— Ton père a toujours essayé de me protéger à tout prix. Mais
de toi, Jade, je sais que je peux espérer la vérité. Alors dis-moi, et ne
me mens pas. Qu'est-il arrivé à Nico ?

Je pris une profonde inspiration que je relâchai lentement avant
de lui répondre.

— Tu es sûre que tu veux parler de ça maintenant ?

Elle acquiesça.

— D'accord. Nico va bien. Son airbag a parfaitement fonctionné
et il s'en est sorti presque sans une égratignure.

— Pourquoi n'est-il pas là, alors ?

— Je ne sais pas. Je l'ai aperçu en vitesse le soir de l'accident quand je suis arrivée à l'hôpital. Ensuite, il est parti, disant qu'il devait rentrer à Des Moines, et je ne l'ai pas revu depuis.

Ce n'était pas vrai. Je l'avais vu discuter avec quelqu'un que je pensais être Larry, mais ce n'était pas utile de mentionner ce fait.

— Ça ne ressemble pas à Nico. Il... m'aime.

— Bien entendu qu'il t'aime, maman. Je suis sûre qu'il a une très bonne raison de ne pas être là.

Je n'en croyais pas un mot, mais je ne voulais pas perturber davantage ma mère alors qu'elle était aussi vulnérable.

— Il y a autre chose dont je voudrais te parler, reprit-elle.

— Quoi donc ?

— J'espère que tu vas me laisser revenir dans ta vie, Jade. Rien de tel que d'échapper de justesse à la mort dans un accident pour comprendre ce qui compte dans l'existence.

Mais quelqu'un comptait plus que moi. Nico. Elle avait parlé de Nico avant de me dire ça. Néanmoins encore une fois, je ne voulais pas la perturber davantage.

— Maman, on pourra parler de ça quand tu iras mieux.

— Non, Jade. Je veux en parler maintenant. J'ai eu tort. À propos de beaucoup de choses. Je t'ai mise au monde et j'aurais dû être une mère avant tout. Au lieu de quoi, j'ai choisi d'être Brooke Bailey, le top model.

Elle toussa.

— Arrête. Tu n'es pas encore assez forte pour parler de tout ça.

— Non, s'il te plaît, écoute-moi. J'ai déjà dit à ton père à quel point j'étais désolée. Il était mon premier amour, tu sais.

Oui, je connaissais toute l'histoire de mes parents. Et le fait que mon père ne se soit jamais remarié n'était pas une énigme. Ma mère était son seul et unique amour. C'était un homme séduisant et de nombreuses femmes s'étaient intéressées à lui au fil des années. Mais il avait consacré toute sa vie à son travail et à moi.

— Ça fait longtemps que papa t'a pardonné.

— C'est ce qu'il m'a dit. Sincèrement, Jade, je l'ignorais jusqu'à maintenant. Mais ce que je souhaite par-dessus tout, c'est que toi aussi, tu me pardonnes.

Je ne savais pas quoi répondre. C'était ma mère, et elle venait d'avoir un accident qui avait failli lui être fatal. Je ne pouvais pas exactement lui refuser mon pardon. Mais je lui en voulais depuis si longtemps. Tallon s'était engagé dans une thérapie pour essayer de guérir de son passé. Devrais-je suivre son exemple ?

Le moment était peut-être venu.

Je laissai échapper un soupir.

— Très bien, maman, je te pardonne.

Je tâchai de toutes mes forces d'être sincère.

Elle ferma les yeux.

— Merci. Je veux faire partie de ta vie. J'espère que tu l'accepteras.

Mais ça, c'était une autre histoire. Étais-je prête à faire une place dans mon existence à la femme qui m'avait abandonnée ? Qui avait pensé à elle avant sa fille unique ? Cela méritait réflexion. Dans l'immédiat, je ne pouvais lui offrir que mon pardon.

— Maman, tu vas devoir rester ici un moment. Mais quand tu auras repris des forces, nous reparlerons de tout ça, d'accord ?

Elle referma les yeux.

— D'accord, Jade. Comme tu voudras. Je compte sur toi pour qu'on en reparle.

Je pris sa main et la serrai.

— Je promets qu'on en parlera. Quand tu seras en état de le faire. En attendant, occupe-toi de guérir et de retrouver des forces. D'accord ? Tu peux faire ça pour moi ?

Elle hocha faiblement la tête, les yeux toujours fermés.

— Je peux faire ça. Pour toi.

Elle s'était déjà rendormie.

Je lui étreignis la main une dernière fois avant de sortir retrouver mon père dans la salle d'attente.

— Elle dort maintenant.

— C'est ce qu'elle a de mieux à faire.

— Elle m'a confié que tu lui avais dit lui avoir pardonné.

— C'est vrai. Pour dire la vérité, je lui ai pardonné il y a très longtemps.

— Je le sais, papa. Pourquoi tu ne m'as pas dit que tu voulais lui accorder une seconde chance quand elle est revenue il y a dix ans ?

Il secoua la tête.

— Je ne pouvais pas. Tu étais trop emplie de colère et de ressentiment. Tu n'avais que quinze ans et tu passais avant tout le reste, toi, ma fille.

— Si tu m'avais dit...

— Non. Je ne t'en veux absolument pas, Jade. Quand ta mère est partie, j'ai fait le vœu de m'occuper de toi, d'assumer le rôle de père et de mère pour toi, et de te faire toujours passer en premier. Tes besoins passaient avant les miens.

— Ça m'aurait peut-être aidée d'avoir une mère à quinze ans.

— J'aimais toujours Brooke, mais je voyais bien qu'elle n'était pas prête à être la mère d'une fille de quinze ans. Cela n'aurait fait qu'empirer les choses. Et rien ne garantissait qu'elle allait rester, quoi qu'elle en dise. Je ne pouvais pas prendre le risque qu'elle t'abandonne une seconde fois.

— Oui, elle en aurait été capable.

— Exactement. Et tu en aurais souffert encore davantage. Non, je ne pouvais pas te faire ça. J'avais très envie de me remettre avec Brooke, mais c'était impossible.

J'étreignis mon père.

— Je suis tellement désolée, papa. Tellement désolée de t'avoir privé de la femme que tu aimais.

— Tu n'as aucune raison d'être désolée. C'était sur toi que je me concentrais, Jade. Tu étais et tu es toujours tout pour moi. Par moments, tu me manques tellement que je n'arrive plus à rassembler mes pensées.

— Tu me manques aussi. Mais je ne vis pas si loin que ça. Tu peux toujours m'appeler ou m'envoyer des messages, ou me rendre visite.

— Tu sais que je déteste le téléphone. Mais je crois que je vais peut-être venir te voir plus souvent.

Je reculai d'un pas avec un sourire.

— C'est une super idée.

# Chapitre 16

TALLON

*L'instinct de survie est très fort chez l'être humain.*
Les paroles du docteur Carmichael ne cessaient de me revenir à l'esprit.

— *Vous pensiez peut-être que vous vouliez mourir pendant cet horrible mois de captivité, mais au fond de vous, dans votre ça, la partie de votre personnalité que vous ne pouvez pas contrôler, qui régit vos pulsions primaires et votre instinct, vous vouliez vivre. Et c'est pour cela que vous avez prononcé ces mots. Pour survivre.*

— *Mais je me haïssais chaque fois que je les prononçais,* répliquai-je.

— *Pour survivre, les êtres humains font souvent des choses qu'ils haïssent. Vous n'êtes pas le premier.*

Au fond de moi, en dépit de ma situation haïssable, voulais-je réellement survivre ?

— *Et cet article ? Je suis retourné sauver ces gens, sachant pertinemment que je risquais de me faire flinguer.*

— *Votre ça vous a sans doute guidé à nouveau. Vous pensiez courir vers la mort, mais instinctivement, vous avez esquivé les balles et mis vos hommes à l'abri. Votre entraînement de soldat a pris le pas. C'était instinctif.*

*— Là, vous me faites passer pour le héros dont tout le monde parle, lâchai-je en ricanant.*

*L'air inflexible, le regard grave, le docteur Carmichael se leva de sa chaise. Elle se posta devant moi, me surplombant, et son regard vert me transperça.*

*— Il est temps que vous preniez conscience d'une chose. Vous êtes un héros. Ce jour-là, vous avez sauvé six personnes d'une mort certaine. Et ce n'est pas tout : vous avez sauvé un petit garçon de dix ans effrayé. Vous lui avez sauvé la vie, Tallon. Lorsqu'un obstacle semble insurmontable, lorsque vous êtes prêt à baisser les bras, n'oubliez pas cela. Souvenez-vous de votre force. De votre valeur. Vous méritez le bonheur.*

★ ★ ★

Jade m'avait envoyé un message m'annonçant qu'elle allait à Grand Junction pour rendre visite à sa mère, qui s'était réveillée. Après ma séance, je me rendis au verger pour faire le point avec Axel. Comme tout avait l'air en ordre, je rentrai au ranch, prêt à déguster le délicieux dîner que Felicia nous réservait le vendredi soir.

Mais dans la cuisine, je tombai de nouveau sur Marj.

— Je croyais que tu avais un cours de cuisine ce soir, fis-je remarquer.

— J'ai décidé de ne pas y aller. Je ne suis pas d'humeur.

Ma pauvre petite sœur. Je lui avais peut-être confié une croix trop lourde à porter en lui racontant mon histoire. Elle ne le vivait pas bien.

— Je prépare un coq au vin, m'informa-t-elle. Il sera prêt d'ici une demi-heure.

Je plongeai les doigts dans mes cheveux.

— Écoute, Marj. Je suis vraiment... désolé.

— Désolé ? Tallon, tu n'as aucune raison de t'excuser. Ça me tue de savoir que tu as subi tout ça.

— Je le sais bien. Mais je déteste te voir comme ça. Parfois, je regrette qu'on t'ait tout raconté.

Elle essuya une goutte de sauce sur le plan de travail.

— Ne dis pas ça, s'il te plaît. C'est juste...

Je comprenais. Elle ne trouvait pas les mots pour exprimer ce qu'elle ressentait : un mélange de pitié envers moi et de dégoût face à la situation. Mes frères avaient eu la même réaction. C'était pour moi insupportable, mais je ne pouvais pas en vouloir à ma petite sœur.

— Tu cuisines quand tu es contrariée.

— Ça m'occupe l'esprit. Mais malgré tout...

Malgré tout, elle ne cessait d'y penser. Je comprenais. Mieux qu'elle ne l'imaginait.

Il était temps de changer de sujet.

— Jade est à Grand Junction avec sa mère, ce soir.

— Je sais, répondit Marj. Elle m'a envoyé un texto. C'est bien que Brooke se soit réveillée.

— Est-ce qu'elle t'a dit que le maire l'avait nommée procureur suppléant de la ville ?

Marj hocha la tête.

— Oui. Quelle histoire, hein ? Je n'arrive pas à croire que Larry Wade ait disparu comme ça.

— Il n'est pas le seul.

— Ah bon ? Qui d'autre ?

— Colin, son ex. Il paraît que personne ne l'a vu depuis le vendredi soir où il a insisté pour dîner avec Jade.

Marj en resta bouche bée.

— Pourquoi Jade ne m'en a rien dit ?

— Aucune idée. Steve Dugan lui en a parlé. Et cet abruti l'a invitée à sortir.

Voilà qui arracha un sourire à ma sœur.

— Je parie que tu ne l'as pas bien pris.

Parfois, j'étais étonné de voir que Marj me connaissait si bien.

— Non. Alors, je lui ai dit qu'on pouvait annoncer qu'on est en couple.

Marj sourit, d'un sourire qui ressemblait presque à celui que je connaissais.

— Vraiment ? C'est génial !

— Je l'espère. J'espère que je serai à la hauteur. J'en doute, parfois.

— Tallon, quoi que tu puisses en penser, tu es une bonne personne. Et tu te prends en main. Tout ce dont Jade a besoin, c'est quelqu'un qui l'aime plus que tout. Si tu en es capable, alors tu es exactement l'homme qu'il lui faut.

— J'aimerais que tu aies raison.

— Bien sûr que j'ai raison. Mais cette histoire avec Colin est vraiment bizarre.

— Oui. Et le fait que Jade, Joe, Ryan et moi soyons les derniers à l'avoir vu ne présage rien de bon. Mais je suis rentré avec Jade, ce soir-là. Chacun de nous peut fournir un alibi à l'autre. Je suis plus inquiet pour Joe et Ryan.

— Ils sont sans doute rentrés chez eux, chacun de leur côté.

— Oui, et personne n'a dû les apercevoir après ça.

— Tallon, nos frères n'ont rien à voir là-dedans.

— Je le sais. Mais ils vont être interrogés – si ce n'est déjà fait.

— Si c'était le cas, nous en aurions entendu parler.

Elle avait certainement raison, mais j'avais un mauvais pressentiment.

— Je ne sais pas pourquoi, Marjorie, mais j'ai le sentiment qu'il va se passer quelque chose. Quelque chose de grave.

# Chapitre 17

## JADE

Finalement, je décidai de rentrer à Snow Creek. J'avais eu l'intention de rester en ville tout le week-end et de passer autant de temps que possible avec ma mère, mais il me semblait que mon père avait besoin d'être avec elle et je ne voulais pas m'interposer entre eux. Et si ce n'était pas un mensonge, ce n'était pas non plus la raison principale de mon retour impromptu. J'avais une envie irrépressible d'être avec Tallon. J'arrivai au ranch vers 20 heures. Je frappai à la porte et Tallon vint m'ouvrir, un Roger frétillant sur les talons.

Un arôme alléchant d'ail et de thym s'échappait de la cuisine et me chatouilla les narines.

— Marj nous a préparé un coq au vin. Il en reste encore plein si tu en veux.

Je n'avais pas dîné et me rendis compte que je mourais de faim.

— Merci, ce n'est pas de refus.

M'accompagnant dans la cuisine, il sortit une assiette du placard.

— Allez, assieds-toi. Je peux m'occuper de ça.

Je me servis une assiette du chef-d'œuvre de Marj, que je réchauffai au micro-ondes, et me versai un verre de vin rouge.

— Tu veux du vin ? demandai-je à Tallon.

Il secoua la tête.

Je m'installai à la table et lui indiquai la chaise à côté de moi.

— Tiens-moi compagnie pendant que je mange.

Entre deux bouchées, je relatai à Tallon la conversation que j'avais eue avec ma mère.

— Qu'est-ce que tu ressens, maintenant ? me demanda-t-il.

Je ne pus retenir un sourire.

— Toi, ça se voit que tu suis une thérapie.

— Qu'est-ce que tu veux dire par là ?

— Je crois que c'est la première fois que tu me demandes ce que je ressens.

Une ombre passa sur son visage.

— Jade, j'ai été égoïste.

J'avalai ma délicieuse bouchée de volaille.

— Pourquoi tu dis ça ?

— J'étais tellement absorbé par mes propres problèmes que j'ai été aveugle à tout le reste. Et j'en suis... désolé.

— Tu veux m'en parler ? De ta thérapie ?

Il déglutit ostensiblement et secoua la tête.

— Je ne suis pas encore prêt à le faire. Je t'en prie, sois patiente avec moi.

— Je serai aussi patiente qu'il le faudra. Tu es tout pour moi, Tallon. Je veux que tu gères ça à ton rythme et que tu saches que je serai là chaque fois que tu auras besoin de moi.

— Tu ne peux pas savoir ce que ça signifie pour moi.

Je souris.

— Je crois que si.

Tallon me regarda avec gravité.

— Tu n'as pas répondu à ma question.

Je finis mon assiette et avalai la dernière gorgée de mon vin.

— Quelle question, déjà ?

— Je t'ai demandé ce que tu ressentais après ta conversation avec ta mère.

Je souris. Il tenait vraiment à le savoir. Pour lui, c'était un immense pas en avant. Je n'avais jamais pensé que Tallon était égoïste, mais c'était vrai qu'il avait été absorbé par son propre univers, dont je ne connaissais pas grand-chose. Mais je lui avais promis d'être patiente et j'avais beau vouloir par-dessus tout ne pas rester dans l'ignorance, j'attendrais qu'il soit prêt à m'en parler.

— Honnêtement ? Je ne sais pas très bien ce que je ressens. J'ai l'impression d'avoir été happée dans un grand huit, et que mes émotions ont joué au yo-yo. On parle d'une femme qui m'a abandonnée, qui a fait passer sa carrière et son deuxième mari avant sa petite fille. Mais elle reste ma mère. Et une mère, on n'en a qu'une. Alors, une partie de moi a vraiment très envie de mieux la connaître. Mais je trouve aussi qu'elle ne le mérite pas.

— Yeux d'azur, on dirait que tu cherches à la punir.

— Et si c'était le cas ? Elle ne l'aurait pas volé.

— Non, elle ne l'aurait pas volé. Elle n'aurait jamais dû abandonner son enfant. Mais en la punissant, qui est-ce que tu fais souffrir ?

— Eh bien, elle.

— C'est vrai. Mais tu te punis aussi toi-même. En te privant de ta mère.

Je ne pus retenir un petit rire.

— La thérapie te réussit, Tallon. Elle t'a rendu très perspicace.

— Yeux d'azur…

— Oh, allez. Ne prends pas la mouche. C'est une bonne chose, je te fais un compliment. Et tu as raison. Punir ma mère ne m'apportera que des émotions négatives. Je devrais lui donner une seconde chance. Mais elle risque de m'abandonner encore une fois.

— C'est vrai. C'est une possibilité. Mais tu es une adulte maintenant, Jade. Elle ne peut plus te faire de mal comme lorsque tu étais enfant. Au moins, tu auras essayé. Tu n'auras pas de regrets.

J'avais toujours su que Tallon était d'une grande intelligence, mais cette perspicacité nouvelle me stupéfiait. Je ne savais pas précisément ce que sa thérapie lui apportait, mais j'espérais qu'elle l'aidait autant qu'il m'aidait en cet instant.

— Tu sais ce que j'aimerais faire maintenant, yeux d'azur ?

— Quoi ?

— J'aimerais t'emmener dans mon lit.

Je ne pouvais qu'être d'accord. Je me levai, rinçai mon assiette et mon verre dans l'évier, puis me tournai vers lui. Ses yeux sombres étincelaient de désir. Il avança sur moi comme un loup sur sa proie.

— Tu te souviens la dernière fois, quand je t'ai bandé les yeux ?

Frissonnante, j'opinai.

— Ça t'a plu, yeux d'azur ?

Toujours tremblante, je hochai la tête.

— Alors j'ai une surprise pour toi.

Il s'empara de moi, me souleva dans ses bras puissants et quitta la cuisine, remontant le couloir jusqu'à sa chambre.

Il me reposa sur mes pieds avant de s'asseoir sur son lit.

— Déshabille-toi pour moi, yeux d'azur.

Ce n'était pas la première fois qu'il me demandait de me dévêtir et je voulais le gâter. Mais comme toujours, je portais un haut qu'on enfile. Ma poitrine généreuse m'interdisait les blouses boutonnées, quand j'aurais adoré, histoire de l'exciter à fond, pouvoir défaire lentement chaque bouton de manière provocante, pour dénuder juste une petite zone de peau chaude à la fois. Mais je dus me contenter de retirer mon haut en le faisant passer par-dessus ma tête. Je tâchai de prendre mon temps et d'être provocante, mais il ne me fallut que quelques secondes avant de jeter le vêtement sur le sol. Je me tenais devant lui en soutien-gorge, moulée dans ma jupe crayon noire. Je portais des escarpins noirs et je n'avais pas mis de collants. Là encore, je regrettais de ne pas avoir choisi un soutien-gorge qui s'attache devant, que j'aurais pu ouvrir d'un seul geste pour libérer mes seins. C'était un 90 E fermé dans le dos, et le dégrafer n'avait rien de sexy. Je le retirai néanmoins, l'abandonnant par terre, et j'étais maintenant seins nus.

Il me détailla d'un regard lascif.

— Bon Dieu, Jade, tu as les nichons les plus somptueux de l'univers.

Je souris. Mon strip-tease avait manifestement eu l'effet escompté, même si je ne l'avais pas trouvé particulièrement provocant.

— Tu te souviens de ces pinces à seins, yeux d'azur ?

Je déglutis. Il ne les avait utilisées qu'une fois auparavant et j'avais trouvé ça très excitant. Une chaleur m'envahit soudain et mon sexe se mit à palpiter.

— Je crois que nous allons les revoir ce soir, dit-il. Ainsi que d'autres petites choses.

Des frissons parcoururent ma peau.

— Mais d'abord, il faut que tu sois nue.

Je me débarrassai de mes escarpins en souriant. Puis je fis glisser ma jupe en stretch le long de mes hanches jusqu'à ce qu'elle ne forme plus qu'une flaque noire à mes pieds, que je repoussai vers mes chaussures.

Je passai un doigt sous l'élastique de mon string léopard, m'apprêtant à l'enlever, mais Tallon secoua légèrement la tête.

— Garde-le encore une minute, yeux d'azur. Laisse-moi te regarder. Tu es tellement sexy. Tellement belle.

Je n'avais jamais été folle de mon corps. Je savais que j'avais de beaux seins, mais en général ils m'enquiquinaient plus qu'autre chose à cause des restrictions qu'ils m'imposaient en matière d'habillement. J'avais la taille plutôt droite et des hanches étroites, et mes jambes n'avaient rien d'extraordinaire. J'avais toujours pensé que Marj – longiligne et élancée – avait un corps parfait, en dépit de sa haute taille : elle mesurait pratiquement un mètre quatre-vingts. Mais là, quasi nue devant l'homme que j'aimais plus que la vie et qui me buvait des yeux avec tant de désir, mes seins aux tétons brun rosé déjà tendus étalés librement sur mon torse, j'avais le sentiment d'être la plus belle femme de l'univers.

— Allonge-toi sur le lit, yeux d'azur.

J'obéis. Je n'avais toujours pas enlevé mon string.

— Caresse-toi les seins, ordonna-t-il.

Comme s'ils n'attendaient que ça, mes doigts remontèrent sur mon ventre et sur les globes gonflés de mes seins pour trouver mes tétons. À peine les avais-je effleurés qu'ils durcirent encore davantage. Je commençai par les taquiner du bout des doigts, légers comme des plumes, et puis j'en pinçai un. Je poussai un soupir.

— Oui, fit Tallon. C'est ça. Tu es magnifique. Pince ces tétons pour moi, yeux d'azur. Fais-les tourner entre tes doigts.

J'obtempérai et des vagues de lave en fusion déferlèrent vers mon sexe. J'étais trempée. Je sentais cette moiteur brûlante – cette sensation incomparable où mon sexe devenait le centre du monde.

— Continue à te caresser, Jade. Prépare-les pour moi.

Tallon, toujours vêtu, se dirigea vers sa commode et revint vers moi un instant plus tard.

Il tenait à la main les instruments dont je me souvenais. On aurait dit de minuscules tenailles, leurs extrémités étaient recouvertes de vinyle noir.

— La dernière fois, j'ai été plutôt doux. On va voir comment ça se passe, aujourd'hui. Prête ?

Je fis un signe d'assentiment. Mes tétons étaient déjà durs. Il posa une pince, puis l'autre, et je retins mon souffle.

— C'est bon ?

Je fermai les yeux.

— Oh oui, bébé. C'est bon.

— La beauté de ces petites choses, c'est qu'elles sont réglables. C'est le réglage que j'avais choisi la dernière fois. Tu es prête pour une pression un peu plus intense ?

L'incroyable plaisir circulant dans mes veines l'emportait sur la douleur causée par les pinces. Augmenter la pression augmenterait mon plaisir, j'en étais persuadée.

— Oui, bébé, s'il te plaît, j'en veux plus.

Il resserra les pinces et je hoquetai. La douleur. Une douleur exquise. Le sentiment d'urgence et le plaisir que j'éprouvais étaient sans égal.

— Ouvre les yeux, bébé. Ouvre les yeux et regarde tes mamelons rouges comme des rubis pris dans l'étau des pinces. Putain, c'est magnifique.

J'obéis et baissai les yeux sur ma poitrine généreuse et mes tétons serrés entre les pinces en vinyle noir. Et, mon Dieu, mon plaisir en fut décuplé. Je n'avais jamais imaginé que le stimulus visuel pouvait être aussi excitant.

— Oh, Tallon. C'est vraiment beau, hein ?

Ses yeux mi-clos étincelaient d'un vernis ténébreux.

— Incroyablement beau, yeux d'azur. Tu es tellement magnifique.

J'étais prête à l'accueillir en moi.

— Je suis complètement trempée, Tallon. Je mouille pour toi. Tu vas me baiser, maintenant ? S'il te plaît ?

Il était debout devant moi, beau comme un dieu, toujours entièrement vêtu.

— Pas encore, yeux d'azur. Mais je vais te soulager un peu.

Il m'enleva mon string et introduisit deux doigts dans mon vagin ruisselant.

Je me contractai autour de lui, agitée de spasmes, inondant ses doigts de mes sucs. L'orgasme me traversa de part en part, fusant dans mes seins, tournoyant autour de mes tétons toujours pris dans l'étau des pinces et défaillants de plaisir.

— Tallon ! Tallon ! Oh, c'est si bon.

— C'est ça, bébé. Jouis. Jouis pour moi. Jouis sur mes doigts. Montre-moi combien je t'excite.

Je gémis de plus belle, jusqu'à ce que l'orgasme reflue.

Lorsque j'ouvris enfin les paupières, Tallon me surplombait, ses beaux cheveux bruns en bataille, ses yeux noirs étincelants, sa peau dorée, mais merde, il n'avait toujours pas retiré ses vêtements.

— Tallon, s'il te plaît, déshabille-toi. Je te veux.

Ses lèvres s'incurvèrent en un sourire en coin.

— Un peu de patience, yeux d'azur.

Il se dirigea de nouveau vers sa commode, de laquelle il revint chargé d'autres objets. Est-ce que c'étaient des… ?

— Tu reconnais ça ?

Il ne s'en était jamais servi avec moi jusque-là, mais je savais ce que c'était. Des menottes. Deux paires de menottes.

— Ce ne sont pas des jouets non plus. Ce sont de vraies menottes. En acier, comme celles des flics.

Je fus parcourue de frissons. Qu'allait-il faire de ces menottes ? J'avais hâte de le découvrir.

— Empoigne les barreaux de la tête de lit, yeux d'azur.

J'obtempérai sans poser de questions et quelques secondes plus tard, j'étais menottée au lit.

— Ça va aller avec les pinces ?

Je fermai les yeux et opinai.

— Verbalise, me rappela-t-il.

— Oui.

— Tu te souviens de ton mot de sécurité ?

— Oui.

— Utilise-le si ça devient trop intense, d'accord, bébé ?

— Oui, répétai-je pour la troisième fois.

Il retourna vers la commode et revint avec un bandana rouge.

— Ce n'est pas aussi doux que ton foulard en soie de l'autre soir, mais ça fera l'affaire.

Il le plia et s'en servit pour me bander les yeux.

— Tout va bien, bébé ?

Je fis un signe d'assentiment.

— Verbalise.

— Pardon. Oui. Tout va bien.

— Bien, bien.

Il parlait doucement, d'un ton apaisant.

— Maintenant, écarte tes jolies jambes et nous allons voir quelles surprises je te réserve.

J'avais les tétons en feu sous la pression des pinces et je ne pensais qu'à une chose : sentir sa queue au fond de moi.

Mais Tallon avait un autre programme. Quelque chose de dur et de froid me pénétra soudain.

— Boules de geisha, bébé. Je veux que tu les gardes à l'intérieur, d'accord ?

— Oui.

— Tu es toujours trempée. Je n'ai même pas besoin de les lubrifier.

Une seconde boule effleura les lèvres de mon sexe avant de s'y glisser.

— Je veux que tu ondules des hanches, bébé. Remue tes jolies hanches et vois l'effet que ça te fait.

J'obéis et...

— Oh !

Une vibration, subtile, mais extrêmement agréable.

— Garde ces boules à l'intérieur, bébé. Si tu les sens tomber, contracte tes muscles. Je veux qu'elles restent à l'intérieur.

— Oui.

— Je vais remonter tes cuisses. Tu vas sentir un peu de lubrifiant sur ton anus, d'accord ?

— D'accord.

Je tremblai. J'avais appris à adorer la stimulation anale. C'était tabou, tellement contre-nature, et pourtant tellement bon.

Je sentis un liquide frais couler sur ma rosette. Le doigt de Tallon franchit mon sphincter et je laissai échapper un soupir.

— C'est ça, bébé. Ce n'est que moi. J'assouplis ton bel orifice.

Je poussai un nouveau soupir, m'abandonnant au plaisir qu'il me procurait.

— Un tout petit peu plus de pression maintenant.

— Ah !

— C'est un plug anal, bébé. Pour te rappeler que ton cul est à moi. Tu comprends ?

— Oui.

Je me mordis la lèvre.

— Détends-toi.

Il rabaissa mes cuisses et le plug me pénétra encore davantage. Mon Dieu, c'était si bon.

Quelques minutes s'écoulèrent tandis que j'étais allongée, totalement à sa merci, les tétons prisonniers des pinces, avec des élancements de douleur, promesses de plaisir. Je remuais les hanches, ondulant doucement, laissant les boules faire leur travail, l'anus possédé, attendant la suite.

Je sentis la chaleur de son corps avant qu'il me pénètre.

Puis sa queue s'enfonça en moi.

— Oui, gronda-t-il. Ces boules génèrent une friction supplémentaire. C'est fabuleux, putain.

Et il avait raison. Elles roulaient à l'intérieur de mon vagin et, tandis qu'il me pilonnait, mon plaisir était redoublé. À chaque coup de reins, il enfonçait le plug anal, exacerbant mes sensations. Je basculai très vite dans un nouvel orgasme.

J'explosai, j'implosai, toutes les sensations, toutes les émotions se bousculant en moi tandis que mon homme me baisait. Me baisait à me faire perdre la tête.

Il grognait au-dessus de moi, il me prenait, m'imprégnait. Imprégnait chaque cellule de mon être. Et bon Dieu, c'était tout ce que je désirais. Je voulais être sienne.

Je voulais lui appartenir de toutes les manières possibles.

— C'est moi, bébé, dit-il au-dessus de moi, sa voix grave évoquant un vin rouge velouté. Je te prends, je te possède.

Ses paroles m'aiguillonnèrent. Oui, il me possédait. Et je voulais qu'il me possède. Sa sueur gouttait sur mes joues alors qu'il continuait à me pilonner, à me ramoner, jusqu'au dernier coup de boutoir où il s'enfouit en moi si profondément que je crus qu'il touchait mon âme.

Il éjacula en grognant et quand il se retira, nous étions tous deux hors d'haleine. Les boules s'échappèrent de mon sexe en même temps que son essence.

Nous demeurâmes immobiles un moment, puis je sentis les pinces libérer mes tétons et le plug quitter mon corps. Il me détacha ensuite les poignets de la tête du lit.

Et en dernier, il retira le bandana qui me couvrait les yeux.

Je pus finalement le regarder, l'homme que j'aimais plus que tout. Il était tellement beau, le corps luisant de transpiration, les cheveux ébouriffés, les mèches encadrant son visage dégoulinant de sueur. Il me contempla, les yeux fiévreux et remplis d'un amour que je n'y avais jamais vu avant.

Je fermai les yeux, détendue, merveilleusement apaisée, et je sombrai dans le sommeil.

★ ★ ★

Quand je m'éveillai, la pièce était plongée dans l'obscurité et Tallon n'était plus là.

Évidemment. Il refusait de dormir avec moi. Je savais qu'il était incapable de me faire du mal et j'avais désespérément envie de passer la nuit dans les bras de l'homme que j'aimais.

Mais je lui avais promis que je serais patiente. J'avais fait vœu de ne pas le bousculer. Il viendrait à moi quand il serait prêt.

Je me levai et m'habillai. Il était 23 heures. Je déambulai dans la maison d'un pas raide à la recherche de Tallon. Je le trouvai dans son bureau, vissé à l'écran de son ordinateur, et décidai de le laisser travailler. Je continuai dans le couloir jusqu'à la chambre de Marj. Un rai de lumière filtrait sous sa porte, signe qu'elle n'était pas encore couchée. Je frappai doucement.

— Oui ? Entre.

J'ouvris.

— C'est moi.

— Oh. Salut. Je ne savais pas que tu étais là.

— Je suis venue voir Tallon.

— Il m'a dit que tu étais allée rendre visite à ta mère à Grand Junction.

— J'y étais. Elle est consciente. Elle va mieux et les médecins sont confiants.

— Qu'est-ce que tu fais ici, alors ?

Je souris.

— J'avais juste envie de le voir. Il est dans son bureau en train de travailler, et je ne veux pas le déranger. Il est tard, et je n'ai pas envie de rentrer à Snow Creek.

— Tu peux dormir dans ton ancienne chambre, alors. Aucun problème.

Son ton était morose et je m'assis au bord de son lit.

— Marj, quand vas-tu te décider à me dire ce qui se passe ?

— Ça n'a pas changé. Je ne peux pas. Je regrette.

Je soupirai.

— OK.

— Ça te plaît, ce nouveau job de procureur suppléant ?

Question compliquée.

— Il s'accompagne d'une petite augmentation, ce qui est appréciable. Je viens d'apprendre que les remboursements de mon prêt étudiant commenceront bientôt et le montant qui sera prélevé chaque mois de mon salaire va retarder un peu le moment où je pourrai verser un acompte pour l'achat d'une voiture.

— Tu peux garder la Mustang aussi longtemps que tu voudras.

— Je sais. Et je vous en suis reconnaissante. Mais je déteste vivre à vos crochets.

Elle sourit et laissa échapper un petit rire. Le premier rire de Marj depuis un moment.

— Tu ne crois pas qu'on n'en est plus là, Jade ? Nous avons plus d'argent que nous ne pouvons en dépenser et ça me fait plaisir de le partager avec toi.

— Je sais.

— Sérieusement, comment ça va ? Le boulot ?

Elle marqua une pause.

— Avec Tallon ?

— Je crois que ça va bien avec Tallon. Il m'a dit qu'il suivait une thérapie.

Marj arrondit les yeux.

— Il t'en a parlé ?

— Oui. Pour être franche, je suis contente qu'il le fasse.

— Moi aussi.

— Il m'a demandé d'être patiente avec lui. De ne pas lui mettre la pression pour qu'il me raconte tout.

Marj sourit de nouveau, de meilleur cœur cette fois-ci.

— Je suppose que moi aussi, je vais te demander la même chose. Si je pouvais te raconter ce qui se passe, Jade, je le ferais.

— OK. Je comprends. Comme je te l'ai dit, Tallon a accepté que nous officialisions notre relation.

— C'est génial.

— Quant au boulot, je ne sais toujours pas quoi penser. Je n'arrive pas à comprendre pourquoi Larry a disparu. Ça fait maintenant plus d'une semaine, et personne ne sait où il est. Lundi, je vais faire quelques recherches de mon côté. Voir si je peux découvrir où il est allé.

Cette histoire m'inquiétait beaucoup mais je ne pouvais pas tout dire à Marj. Larry, après tout, m'avait chargé d'enquêter sur les Steel. Je n'avais toujours pas la moindre idée des informations qu'il voulait trouver. Il s'était bien gardé de s'en ouvrir à moi.

— Est-ce que tu aurais la moindre idée des raisons de sa disparition ?

Marj secoua la tête.

— Je le connais à peine. Tout ce que je sais, c'est qu'il a été en affaires avec notre famille par le passé.

— Je ne l'aime pas beaucoup, je t'avoue.

Je soupirai.

— Il m'a donné un boulot, ce dont j'avais besoin, d'accord. Mais il ne respecte absolument pas la déontologie. Vendredi dernier, la dernière fois que je l'ai vu...

Je n'allais pas mentionner que je pensais l'avoir aperçu en train de parler avec Nico à l'hôpital dans la soirée.

— Il portait un short et une chemise hawaïenne, prêt à emmener ses petits-enfants quelque part. Il était flippant. Tu vois le genre... un type que tu ne laisserais pas seul avec des enfants.

Un frisson secoua Marj, dont le visage était fermé.

— Qu'est-ce qui te fait dire ça ?

— Je ne sais pas. Il m'a fait flipper, c'est tout. Et puis, même si ce n'est pas un problème en soi, il lui manquait un orteil au pied gauche. Ce n'est pas ce qui m'a fait flipper, cela dit.

La bouche de Marj s'arrondit.

— Tu es sérieuse ? Au pied gauche ? Tu es sûre ?

— Oui.

Ce que je gardai pour moi, c'est que j'avais baissé les yeux sur ses pieds parce que j'étais incapable de le regarder en face après lui avoir demandé si Daphne Steel était sa sœur. Je n'en avais encore parlé à aucun des Steel.

Marj bondit du lit, m'entraînant avec elle.

— Oh, mon Dieu !

# Chapitre 18

## TALLON

Je terminai les comptes sur lesquels je travaillais et envoyai un e-mail détaillé à notre comptable et au directeur financier. Puis, même si minuit approchait, je décidai de voir si Ryan était encore debout. J'étais d'humeur à partager un verre avec mon petit frère.

Je lui adressai un bref texto, et il me répondit aussitôt :

*Bien sûr. Tu n'as qu'à passer.*

Mon petit frère était toujours prêt à m'accueillir chez lui.

Il vint m'ouvrir la porte en tee-shirt et pantalon de pyjama.

— Qu'est-ce que tu fais debout à une heure pareille, Tal ?

— Je pourrais te poser la même question.

— Rien d'intéressant. Je faisais de la paperasse.

— Pareil.

Je le suivis dans le séjour. Il passa derrière le bar et sortit quelques bouteilles.

— Un Peach Street, je suppose ?

— C'est parfait.

Il me servit deux doigts du liquide ambré et se versa un verre de vin, puis vint s'asseoir à côté de moi sur un tabouret.

— Alors, qu'est-ce qui t'amène ?

— Juste envie de boire un verre avec mon frère.

— Tu ne veux pas me parler de quelque chose ? De tes séances de thérapie ?

Je fis non de la tête. Je n'avais même pas l'intention de lui demander si Steve Dugan les avait approchés, Joe et lui.

— J'ai franchement hâte que tout ne tourne plus autour de moi. Ce soir, j'ai juste envie de boire un coup avec mon frère. C'est aussi simple que ça.

Ryan trinqua avec moi.

— Ça me va.

Nous parlâmes surtout du ranch, jusqu'à ce que quelqu'un frappe vigoureusement à la porte d'entrée.

Ryan se leva pour aller ouvrir.

— Qui ça peut bien être, à cette heure-ci ?

La première personne qui me vint à l'esprit fut Dugan. Pour ce que j'en savais, mes frères n'avaient pas encore été interrogés à propos de la disparition de Colin Morse. Mais pourquoi Steve viendrait-il un vendredi soir après minuit ?

Ryan réapparut dans le séjour, notre sœur sur les talons.

— Dieu merci, tu es là, Tallon, souffla Marj.

— Que se passe-t-il ?

— Premièrement, Jade est encore à la maison. Elle dort dans son ancienne chambre cette nuit.

— D'accord. Et c'est pour nous annoncer ça que tu as failli enfoncer la porte ?

Elle secoua la tête.

— Non, j'ai un truc bien plus important à te dire. Je viens de discuter avec Jade. Tu connais son patron, Larry Wade ?

— Oui, elle ne l'aime pas beaucoup.

— Exact. Elle le trouve amoral et flippant. Mais devine quoi ?

— Quoi ? Ryan et moi demandâmes d'une même voix.

— D'après Jade, il lui manque le petit orteil du pied gauche.

Je pris le temps d'assimiler ses mots. Larry Wade ? Moi qui pensais avoir trouvé l'un de mes ravisseurs en la personne du petit ami de la mère de Jade, voilà maintenant que son patron pourrait aussi en être un autre ? Comment mes agresseurs se trouvaient-ils si proches de la femme que j'aimais ? Je la protégeais bien mal.

Je sentis la rage bouillir en moi.

Ryan perçut ma fureur et posa une main sur mon bras.

— Tallon, il y a sûrement des tas de gens à qui il manque un orteil.

— Ici, à Snow Creek ?

Je me levai, fébrile.

— Ça ne peut pas être une coïncidence.

J'avais les nerfs à vif. Mon cœur battait à tout rompre et l'édrénaline pulsait dans mes veines. Je devais retrouver Larry Wade, l'interroger, et puis le rouer de coups jusqu'à ce qu'il en crève.

— Jade est dans sa chambre ?

Marj hocha la tête.

— Ne la dérange pas, Tallon. Elle dort et elle a déjà eu assez d'émotions comme ça avec sa mère…

Je ne l'écoutais plus : je franchis le seuil à grandes enjambées et filai vers le ranch. J'entrai par la porte de derrière, traversai la cuisine en courant et me précipitai vers la chambre de Jade. J'ouvris sans frapper.

— Jade ! hurlai-je.

Elle se redressa brusquement en position assise, les yeux englués de sommeil.

— Quoi ? Qu'est-ce qu'il y a ?

— C'est moi. Réveille-toi. Tout de suite.

— Bon Dieu, Tallon, qu'est-ce qui t'arrive ?

— Dis-moi tout ce que tu sais sur Larry Wade.

Elle bâilla, se frottant les yeux.

— Maintenant ? Tu sais ce que je pense de lui. C'est une ordure sans éthique. Qu'est-ce que tu veux savoir de plus ?

— Il lui manque le petit orteil du pied gauche, pas vrai ?

Elle acquiesça.

— Comment tu le sais ?

— Marj vient de me le dire. Et j'aimerais savoir pourquoi *toi*, tu ne l'as pas fait.

Elle cligna des yeux plusieurs fois.

— Tu plaisantes, j'espère ? Je ne vois pas pourquoi je t'en aurais parlé. Ce n'est pas un sujet de conversation. Il lui manque un orteil, et alors ? Tout le monde s'en moque.

— Pas moi. C'est un détail important pour moi.

— Pourquoi ?

— Tu m'as promis d'être patiente avec moi, Jade, et là, j'ai besoin que tu le sois. Je ne suis pas prêt à t'expliquer mes raisons, mais il faut que tu me dises tout ce que tu sais à propos de ton patron. Maintenant.

Elle bâilla à nouveau puis but une gorgée d'eau du verre posé sur sa table de nuit.

— C'est sérieux pour toi, apparemment, Tallon. Alors, parlons-en.

Elle alluma sa lampe et plissa les yeux, aveuglée par la lumière.

— Je ne sais pas grand-chose sur lui, mais j'ai l'intention de mener mon enquête lundi, quand je retournerai au bureau. En attendant, il y a bien une chose que je sais. Ça reste encore à confirmer, mais je suis pratiquement sûre que Larry est le demi-frère de ta mère.

# Chapitre 19

## JADE

Tallon écarquilla les yeux.

— Hein ?

Je lui racontai rapidement l'histoire des actes de naissance de sa mère et de Larry que j'avais trouvés, et la manière dont le nom avait été modifié sur celui de Daphne.

— Ce n'est pas possible. Et si c'est vrai...

Son regard était lointain, empreint de rage et de tristesse.

— Et si c'est vrai, quoi ?

— Tu dis qu'il te met vraiment mal à l'aise, qu'il est flippant.

— Oui. C'est peut-être simplement parce que c'est un procureur si peu respectueux de l'éthique.

— Non. Je fais confiance à ton instinct, Jade. Si tu dis qu'il est flippant, c'est parce qu'il l'est.

— Je te le répète, je ne sais presque rien sur lui. J'ai l'intention d'y remédier lundi.

— Bordel de merde.

Tallon se leva, passa les doigts dans ses cheveux en désordre, puis il se mit à arpenter la pièce à grands pas.

— Putain de bordel de merde.

— Tallon, tu me fais peur. Qu'est-ce qui se passe ?

Il ne répondit pas, continuant à faire les cent pas avant de quitter la pièce. N'ayant pas de vêtements ici, je portais en guise de pyjama mon pull de la veille et ma petite culotte. Peu désireuse de me balader dans la maison dans cette tenue, j'entrai dans la chambre de Marj, qui n'y était pas, et lui empruntai un peignoir.

Puis je me mis à la recherche de Tallon. Il était de nouveau dans son bureau, installé devant son ordinateur.

— Tu sais où est Marj ?

— La dernière fois que je l'ai vue, elle était chez Ryan.

Qu'est-ce que Marj fichait chez Ryan ? Mais je restai coite. Tallon était manifestement sur le sentier de la guerre. Il était concentré sur l'écran de son ordinateur.

— Qu'est-ce que tu fais ?

— Je vais découvrir qui est Larry Wade, je peux te le garantir.

— Pourquoi tu n'attends pas lundi ? Au boulot, j'ai toutes les bases de données de l'État à ma disposition. Ici, tu ne pourras pas faire grand-chose, à part une recherche sur Google.

— Inexact. J'ai mes méthodes.

— Tallon, on est au milieu de la nuit.

Il avait l'air vraiment très agité et ne cessait de passer et repasser les doigts dans ses cheveux.

— Je m'en tape. Tu sais que je ne dors pas beaucoup de toute façon. Il faut que j'en apprenne davantage à son sujet, et sur le mec de ta mère.

— Nico ?

— Oui. Il est revenu à l'hôpital ?

Je secouai la tête. Non, il n'était pas revenu et je ne comprenais toujours pas pourquoi. Ça faisait deux semaines que ma mère était entre la vie et la mort et son petit ami restait aux abonnés absents. Quelque chose m'échappait.

— Tu veux que je t'aide ? demandai-je en bâillant.

Il secoua la tête.

— Non, va te recoucher, bébé. Je suis désolé de t'avoir réveillée.

Je souris. Je ne savais pas ce qui troublait Tallon, mais le fait qu'il s'excuse de m'avoir réveillée était énorme. Il était indéniable que la thérapie lui faisait du bien. Et cet acharnement soudain à en apprendre davantage au sujet de Larry et de Nico pouvait bien, d'une certaine façon, s'avérer tout aussi thérapeutique. Je ne savais rien, et Marj restait muette sur le sujet. Je ne pouvais qu'espérer que Tallon finisse par tout me raconter, comme il l'avait promis – quand il serait prêt.

Je me dirigeai vers lui, toujours assis à son bureau, et déposai un baiser sur le sommet de son crâne.

— Bon, je vais me recoucher. Je t'aime.

★ ★ ★

Je fus tirée d'un sommeil profond par mon téléphone qui vibrait sur la table de nuit. Il me fallut quelques instants pour me rappeler où j'étais. Le jour entrait à flots par ma fenêtre. C'était le matin, 7 heures précisément. Qui pouvait bien m'appeler à 7 heures un samedi ?

Je saisis le téléphone… C'était mon père.

Mon cœur bondit dans ma poitrine. Quelque chose avait dû arriver à ma mère. Un grand froid m'envahit alors que je prenais l'appel.

— Papa ?

— Oui, ma chérie, c'est moi.

— Tu vas bien ? Est-ce que maman va bien ?

— Ta mère va bien. Elle s'est réveillée tôt ce matin et m'a réclamé. Elle et moi avons eu une conversation très intéressante.

**183**

— Ah oui ?

Savoir que ma mère allait bien m'apportait un immense soulagement. Bizarre, moi qui ne m'étais jamais souciée d'elle, voilà que j'étais paniquée à l'idée de la perdre maintenant qu'elle avait failli mourir.

— À propos de quoi ?

— De son petit ami, ce Nico Kostas.

Un frisson glacé me parcourut. Tallon aussi s'intéressait à Nico et je ne savais pas pourquoi.

— Il est revenu ?

— Non. Il n'est pas revenu. Ta mère est folle d'inquiétude.

— Je suis vraiment désolée pour elle, papa. Mais si tu veux mon avis, mon intuition me dit qu'il vaut mieux qu'il reste loin d'elle.

— Je ne peux qu'être d'accord avec toi, Jade, et je ne l'ai pourtant jamais rencontré. Ce matin, ta mère m'a raconté quelque chose qui m'inquiète beaucoup.

— Quoi ?

— Nous parlions de lui – de ce Nico – et ta mère a mentionné un contrat d'assurance vie.

— Oui ?

— Elle a dit que Nico aurait été très riche si elle n'avait pas survécu à l'accident.

Mon sang ne fit qu'un tour. Je devinais la suite.

— Oh mon Dieu...

— Oui. Apparemment, ta mère venait de souscrire un contrat d'assurance vie d'un montant d'un million de dollars et avait nommé Nico comme bénéficiaire.

— Pourquoi aurait-elle fait un truc pareil ? Elle est fauchée comme les blés, d'après ce que j'ai cru comprendre.

— Ce qui pourrait expliquer que Nico veuille se débarrasser

d'elle. Ta mère a des goûts extravagants comme nous le savons tous les deux. Il en a peut-être eu marre de payer les factures. Il s'est peut-être lassé d'elle.

— Mon Dieu. Tu as appelé la police ?

— Oui. Elle arrive pour nous parler, à ta mère et à moi. J'aimerais bien que tu sois présente aussi si c'est possible.

— Bien sûr. Je suis au ranch. Je vais prendre une douche rapide et j'arrive.

— Formidable. À bientôt.

Je raccrochai.

Nico pouvait-il être un assassin ? Je frissonnai. Mais qu'est-ce qui m'avait pris, de faire une fixette sur ce tatouage ? Et Tallon en avait été terriblement contrarié. J'avais déjà pris la décision de ne pas me faire tatouer ce dessin en particulier par égard pour Tallon. Maintenant, je n'étais même plus certaine de vouloir un phénix. Ce motif ne ferait que me rappeler l'homme qui avait peut-être essayé de tuer ma mère. Pourquoi n'y avais-je pas pensé plus tôt ? L'airbag de Nico avait parfaitement fonctionné. Il s'en était tiré pratiquement indemne. Mais celui de ma mère ne s'était pas déployé. Elle souffrait de plusieurs fractures, de nombreuses lacérations au corps et au visage, d'un traumatisme crânien.

Quel enfoiré.

Je me débarrassai de mon pull et de ma petite culotte, puis entrai dans la douche. L'eau chaude détendit mes muscles douloureux, mais ne fit rien pour calmer le flot d'images défilant dans ma tête comme la bande-annonce d'un film. Je poussai un soupir, renversant la tête en arrière pour me mouiller les cheveux. Je versai ensuite une noisette de shampooing dans le creux de ma main et entrepris de les laver.

— Tu veux un coup de main ?

Je faillis sauter au plafond. Tallon était entré dans la salle de bains et je distinguai sa silhouette floutée à travers la porte vitrée de la douche ruisselante d'eau.

— Tu m'as fait peur.

— Désolé.

Je souris. Un petit peu de thérapie « Tallon » pourrait bien m'être vraiment bénéfique au moment présent.

— Qu'est-ce que tu attends ? J'accepte ton aide.

Ses pieds étaient nus, mais il portait toujours son jean et sa chemise. Il se déshabilla rapidement et me rejoignit sous la douche.

— Tu es resté debout toute la nuit ?

Il opina tout en prenant le relais pour me laver les cheveux. Le contact de ses mains puissantes sur mon cuir chevelu, dénouant la tension, était divin.

— Ça fait du bien, dis-je. Tu as trouvé quelque chose ? À propos de Larry ?

— Quelques trucs. Déjà, la confirmation que ce fils de pute est bien le demi-frère de ma mère. Bordel de merde.

— Eh bien, ça ne veut pas dire grand-chose.

— Chut. Je ne veux surtout pas penser à ce connard de Wade alors qu'une femme nue et magnifique se frotte contre moi sous la douche.

Je laissai échapper un petit gémissement. Entièrement d'accord. Il continua son massage sur mon cuir chevelu, ses mains habiles très relaxantes éloignant de moi les idées sur lesquelles j'étais restée bloquée. Oui, dans quelques minutes, je partirais pour Grand Junction afin de parler à la police de la possibilité d'une tentative de meurtre à l'encontre de ma mère. Mais pour l'instant, Tallon était mon univers.

— Penche la tête en arrière, bébé, je vais te rincer.

Je sentis ses mains solides me lisser les cheveux des racines jusqu'aux pointes pour en éliminer le shampooing que j'imaginai s'écouler en tourbillons mousseux. Les yeux fermés, je respirai la vapeur réconfortante, l'odeur sucrée de la noix de coco. Je poussai un nouveau soupir, sursautant quand ses lèvres se refermèrent sur un de mes tétons.

J'ouvris les yeux. Penché sur ma poitrine, il prenait dans sa bouche le bourgeon turgescent. Je passai la main sur ses cheveux ébouriffés, à présent à moitié mouillés.

— Échangeons les rôles, bébé. Tu peux me sucer les seins pendant que je te lave les cheveux.

Il acquiesça avec un grognement et nous pivotâmes de façon qu'il se trouve sous le jet, la tête à la bonne hauteur pour que je puisse le shampooiner.

— Tu es sûr que c'est confortable ?

Il opina contre mon sein. Je lavai ses beaux cheveux, puis l'obligeai à se redresser pour qu'il puisse se rincer, laissant échapper un râle frustré quand sa bouche abandonna mon téton. Nous nous éclaboussâmes et nous frottâmes l'un contre l'autre pour nous laver le corps, puis il me souleva avant de m'empaler sur sa queue magnifique et raidie.

Nos corps glissaient l'un contre l'autre et je me penchai sur lui pour l'embrasser. Nous nous dévorâmes, échangeant des baisers avides, gémissant doucement tandis qu'il me faisait coulisser sur son membre dressé.

L'orgasme me saisit très vite. Merveilleuse jouissance, exactement ce qu'il me fallait ! Nous fûmes emportés ensemble, lui et moi, mon plaisir déclenchant le sien.

Il s'arracha à ma bouche dans un bruit de ventouse, haletant à mon oreille.

— Oui, bébé, je jouis. Je jouis avec toi, bébé.

Comblée, je me laissai glisser le long de son corps. Nous nous rinçâmes mutuellement, puis je fermai le robinet.

Je lui tendis une serviette et il se sécha les cheveux et le corps.

— C'était fabuleux, Tallon. Tu ne peux pas savoir à quel point j'avais besoin de ça.

— J'ai toujours besoin de toi, bébé.

— Moi aussi. C'est juste que j'ai reçu un coup de fil de mon père ce matin.

— Merde, je suis désolée, yeux d'azur. Est-ce que ta mère va bien ?

— Oui. Ne t'inquiète pas pour ça. Mais…

— Quoi ?

— C'est à propos de son petit ami. Nico Kostas.

Tallon se raidit sous mes yeux, tous les muscles contractés.

— Oui ? Qu'est-ce qu'il a fait ?

— Il semblerait que ma mère avait souscrit un contrat d'assurance vie juste avant l'accident. Pour un million de dollars, et Nico en était le bénéficiaire.

Il se figea, le regard lointain.

— Tallon ?

— Je te le dis, yeux d'azur, cet homme est dangereux. Je ne plaisante pas.

— Je commence à le croire aussi. Et tu sais quoi, Tallon ? Je suis vraiment désolée pour cette histoire de tatouage. J'aimais vraiment beaucoup cette image, mais tu peux me croire, je n'aurai jamais de phénix tatoué sur le corps. Ça me rappellera toujours l'homme qui a peut-être tenté de tuer ma mère.

— Je vais envoyer cet enfoiré en enfer.

Tallon passa les doigts dans ses cheveux humides.

Il était révolté. Je le voyais dans sa posture, son regard, ses gestes. Prêt à frapper. Mais pourquoi ? Il n'avait même pas encore rencontré ma mère et il savait que nous n'étions pas proches.

— Enfin, ce n'est pas encore certain.

Il suspendit sa serviette au portant.

— Oh, moi j'en suis sûr, yeux d'azur. J'en suis sûr et certain.

# Chapitre 20

## TALLON

Sur la route de Grand Junction, où Jade devait retrouver son père et parler à la police, je me sentais rongé par l'anxiété. J'allais rencontrer l'homme qui l'avait élevée, l'homme qu'elle aimait plus que tout. Enfin, à part moi, je l'espérais.

Si incroyable que cela puisse paraître, cela m'angoissait davantage que la confrontation avec ce fameux Nico. S'il était bien celui que je soupçonnais, je ne doutais pas une seule seconde qu'il ait pu trafiquer l'airbag du siège passager et essayé de tuer la mère de Jade pour toucher l'argent de l'assurance. S'il était bien celui que je croyais... Il n'y avait pas de limite à ce qu'il était prêt à faire pour son plaisir personnel, sans parler du gain financier.

À mes yeux, il était déjà coupable, non seulement de m'avoir enlevé et violé ainsi que d'avoir tué Luke Walker et les autres enfants, mais aussi d'avoir tenté d'assassiner la mère de Jade. Je n'avais plus qu'à le prouver. Naturellement, c'était plus facile à dire qu'à faire.

Qu'est-ce qui rendait les gens si mauvais ?

Je me posais cette question pour la première fois. Jusqu'à présent, je n'avais jamais vraiment considéré ces trois types comme des êtres humains. Ils étaient l'incarnation du mal. Désormais, j'avais peut-être identifié deux d'entre eux. Ils n'étaient que des hommes. Des hommes que je pourrais rouer de coups et tuer à mains nues.

Seulement des hommes.

Comment des hommes se changeaient-ils en démons ?

Jade demeura silencieuse pendant le trajet et je ne lui fis pas la conversation. Elle savait maintenant que j'étais plutôt un taiseux, et ça m'allait très bien de me perdre dans mes pensées. Grâce à son café bien serré, j'étais réveillé. Réveillé, et seul avec mes réflexions.

Après avoir déposé Jade, je tournai en rond un moment à la recherche d'une place, et finis par confier mon véhicule au voiturier de l'hôpital. Après tout, c'était samedi et les visiteurs ne manquaient pas. Je m'enregistrai à l'accueil puis rejoignis la salle d'attente de l'unité de soins intensifs.

En entrant dans la zone, je tressaillis. Jade était déjà en train de parler à deux policiers. À côté d'elle se tenait un homme d'environ un mètre quatre-vingts, aux cheveux du même brun doré que ceux de la femme que j'aimais. Il était séduisant – la peau bronzée, des rides aux coins des yeux. D'après Jade, il travaillait dans le bâtiment. Il avait sans doute passé toute sa vie à l'extérieur. Il avait l'air fatigué. Et pas seulement à cause des années de labeur. Fatigué, et inquiet. Inquiet pour une personne qu'il aimait. Sans doute la mère de Jade.

J'allais devoir me présenter à son père, au père de la femme de ma vie. Du haut de mes trente-cinq ans, je n'avais encore jamais rencontré le père d'une femme.

Avec un sourire, Jade me fit signe de les rejoindre.

— Te voilà. Tallon, voici mon père, Brian Roberts. Papa, je te présente Tallon Steel.

Le père de Jade me tendit la main.

— Ravi de faire votre connaissance. J'ai beaucoup entendu parler de vous.

Un frisson me glaça la nuque. Jade avait assisté à mes moments les plus sombres, mais elle s'était certainement abstenue de les raconter à son père.

— Heureux de vous rencontrer aussi, monsieur, répondis-je.

Faisais-je les choses correctement ? Fallait-il appeler le père d'une femme « monsieur » ?

— Je vous en prie, appellez-moi Brian.

— Entendu, dis-je avec un sourire hésitant. Comment va ta mère, Jade ?

— Ça va. Elle sort enfin des soins intensifs aujourd'hui.

— C'est une super nouvelle, bébé.

Je tournai brusquement la tête vers Brian. Je venais d'appeler sa fille « bébé », mais il ne semblait pas s'en formaliser. Dieu merci.

— Oh, où avais-je la tête ? lança Jade. Officiers Shapley et Duke, voici Tallon Steel, mon petit ami.

*Petit ami.*

Jamais un mot ne m'avait tant fait chaud au cœur. Et pourtant, il semblait terriblement fade. Cela faisait de Jade ma petite amie – un terme singulièrement insuffisant étant donné ce qu'elle représentait pour moi.

— Bonjour, monsieur, dit l'officier Shapley.

— Je ne voulais pas vous interrompre. Je peux aller m'asseoir là-bas pendant que ces messieurs te posent leurs questions, dis-je à Jade.

— Non, j'aimerais mieux que tu restes. Ça ne vous dérange pas ? Toi non plus, papa ?

— Je n'y vois aucune objection, ma chérie, répondit Brian Roberts. C'est plutôt aux officiers d'en juger.

— Pas de souci, assura Shapley. Ce ne sont que des questions préliminaires.

— Alors, vous pensez avoir assez d'éléments pour justifier une enquête ? demanda Brian.

— Oui, répondit Shapley, qui jouait visiblement le porte-parole. Nous allons examiner le véhicule pour voir si un quelconque élément indique que l'airbag aurait été trafiqué. Le seul problème, c'est qu'il a déjà été réparé. Mais nos experts vont se charger de l'examiner.

Jade se décomposa.

— Pourquoi a-t-il été réparé ?

— Personne ne soupçonnait un acte criminel, mademoiselle Roberts, répondit Shapley. Monsieur Kostas a appelé une dépanneuse et fait réparer le véhicule.

— Eh bien, monsieur Kostas semble avoir disparu de la circulation.

Shapley hocha la tête.

— En effet, ce qui constitue également une source de préoccupation.

— Il est sénateur, bon Dieu ! lança Jade. Il ne peut pas s'évaporer dans la nature.

— Non, dis-je d'une voix sourde. C'est faux.

Jade pivota vers moi, ses yeux d'acier écarquillés.

— Quoi ?

— Désolé, j'ai oublié de te le dire. J'ai fait des recherches sur son compte. J'aurais dû t'en parler.

Je soupirai. Comment lui expliquer que je m'étais écarté du sujet parce que je pensais avoir découvert qui il était ? Impossible, surtout devant tous ces gens.

— Il dit vrai, madame, intervint Shapley. Cet homme n'est pas sénateur des États-Unis, ni de l'État de l'Iowa.

— Mais pourquoi ma mère aurait-elle…, commença Jade avant de se mordre la lèvre. J'imagine qu'elle n'a jamais douté de lui.

— Brooke gobe tout ce qu'on lui raconte tant qu'elle reçoit de l'attention et des cadeaux, signala Brian.

— C'est sans doute facile à vérifier, mais ma mère n'a pas dû penser à le faire, dit Jade. Il est vrai qu'elle a tendance à laisser les hommes la mener en bateau.

— Pour être franc avec vous, Nico Kostas n'est sans doute même pas son vrai nom, ajouta Shapley. Mais nous allons mener l'enquête. Du moins, si nous trouvons la preuve que l'airbag a été trafiqué.

— Vous le devez, je vous en prie, les supplia Jade. Sa disparition est franchement louche. Il part du jour au lendemain alors qu'il prétendait tenir à ma mère… Il m'a tout l'air de s'être enfui.

— Oui, répondit Shapley, c'est effectivement suspect. Nous vous tiendrons au courant. Tenez, voilà ma carte.

Il en tendit une à chacun de nous.

— Merci de nous avoir accordé votre temps, officiers, dit Brian.

Les deux hommes hochèrent la tête puis tournèrent les talons.

— J'y crois pas, souffla Jade.

Je lui passai un bras autour des épaules.

— Quoi ?

— Cet enfoiré est un menteur et il a essayé de tuer ma mère. Il va sans doute s'en tirer. Maintenant que la voiture a été réparée, ils ne trouveront aucune preuve qu'il l'a sabotée.

— Nous ne sommes pas certains qu'il l'ait fait, remarqua Brian.

Je restai silencieux. Oh si, il l'avait fait. Au plus profond de moi, j'en avais l'intime conviction. Tout comme j'étais convaincu que ce cher Larry Wade, le demi-frère de ma mère, m'avait violé quand j'étais petit. De même que ce Nico, qui avait maintenant tenté de tuer la mère de Jade.

Aucun d'eux ne resterait impuni.

★ ★ ★

Sous prétexte d'avoir des courses à faire et quelques coups de fil à passer pour le travail, je quittai la salle d'attente. Jade était en sécurité avec son père et elle avait besoin de rester auprès de sa mère. Je passai bien quelques coups de fil, mais ils n'avaient rien de professionnel. Au bout de dix minutes, j'avais le nom du carrossier chez lequel Nico Kostas avait fait réparer sa voiture.

Je m'y rendis et demandai à rencontrer la personne qui s'en était chargée. On me fit patienter le temps qu'un certain Shem soit disponible.

Je feuilletai un magazine automobile datant de plus de trois ans.

— Monsieur Steel ?

Je levai les yeux. Un jeune homme, grand et mince, se tenait devant moi, les ongles maculés de cambouis, ses cheveux blonds tirés en catogan.

— Je suis Shem.

Je me levai et lui tendis la main, mais il secoua la tête.

— Je ne voudrais pas vous couvrir de graisse. Qu'est-ce que je peux faire pour vous ?

— J'ai des questions à propos d'une voiture qu'on vous a apportée il y a environ deux semaines. Son propriétaire s'appelle Nico Kostas.

— Oui, m'sieur, je m'en souviens. C'était une épave. Il a de la chance d'avoir survécu à l'accident.

— Eh bien, l'airbag est une invention formidable. Saviez-vous qu'il avait une passagère à bord ?

— Ah, oui. On a retrouvé son sang partout. Il paraît que son airbag ne s'est pas déployé.

— En effet.

Je jetai un regard alentour.

— D'après ce que j'ai compris, la voiture se trouve toujours ici.

— Ouaip, on l'a réparée. Elle était presque bonne pour la casse. La seule chose qui lui a permis d'y échapper, c'est qu'elle a beaucoup de valeur.

— J'ai des raisons de croire que l'airbag a peut-être été saboté, et c'est pour ça qu'il ne se serait pas déployé. J'aimerais jeter un coup d'œil à la voiture, si ça ne vous dérange pas.

— Vous êtes de la police ?

— Non, juste un ami de la famille de la femme qui a été blessée. Elle a de la chance d'être en vie.

Shem cracha sur le sol.

— Je ne vous le fais pas dire. Cette voiture était complètement bousillée. Et sans airbag ? dit-il en sifflant. Elle a franchement eu de la chance.

— Alors, est-ce que je peux la voir ?

— Ce n'est pas votre voiture, m'sieur. Je ne peux la rendre qu'à son propriétaire.

— Est-ce qu'il est passé voir où elle en était ?

— Non, m'sieur. C'est à n'y rien comprendre. On l'a appelé deux fois par jour toute la semaine. Personne n'arrive à le joindre.

Quelle surprise.

— Écoutez, je vous offrirai une compensation si vous me laissez jeter un coup d'œil au véhicule. Et je peux me montrer encore plus généreux si vous me permettez de le faire examiner par un expert.

— Désolé, m'sieur. Sans un flic ou un mandat, je ne peux rien faire.

Je sortis deux billets de vingt de mon portefeuille.

— Et maintenant ?

Il les empocha.

— Retrouvez-moi ici à 19 heures tapantes.

— Merci, dis-je avec un hochement de tête avant de repartir.

Nous allions devoir passer la nuit en ville. Enfin, moi, tout du moins.

Je m'arrêtai dans un restaurant du coin pour acheter des plats à emporter puis retournai à l'hôpital. Jade et son père étaient contents de pouvoir faire un vrai repas.

— J'aimerais vous inviter à dîner, lança Brian. Histoire de vous connaître un peu mieux.

Un frisson me parcourut la nuque. Me connaître un peu mieux ? Merde. C'était trop pour moi. Je me trouvai une excuse, priant pour que Jade comprenne.

— Ce serait avec plaisir, mais je ne peux pas. On a besoin de moi au verger, je vais devoir rentrer. Tu n'as qu'à rester là, bébé. Rentre en taxi, si tu veux. Ou reste en ville avec ton père. Tu pourras voir ta mère demain matin.

C'était lâche, mais l'idée de passer six heures à l'hôpital à parler de la pluie et du beau temps avec le père de Jade m'était insupportable. Je devais demeurer en ville jusqu'à 19 heures pour retrouver Shem chez le carrossier. Qu'est-ce que j'allais bien pouvoir faire en attendant ? Je pourrais rentrer au ranch puis revenir ce soir. Ou mieux encore : trouver un expert pour examiner la voiture et lui graisser la patte afin de le convaincre de m'accompagner.

# Chapitre 21

JADE

Aider à installer ma mère dans une chambre d'hôpital ordinaire me remonta le moral. J'aurais aimé que Tallon puisse rester. Je voulais tellement qu'ils fassent connaissance tous les deux. Mais c'était peut-être mieux ainsi. Je voyais bien qu'il était nerveux en présence de mon père. Je ne savais pas trop pourquoi dans la mesure où celui-ci était d'un abord particulièrement facile. Mais bon, comme l'avait dit Tallon, c'était la première fois qu'il rencontrait le père d'une petite amie.

*Petite amie.*

Le mot semblait tellement juvénile, mais je devrais m'en contenter pour le moment.

Ma mère était plus alerte qu'elle ne l'avait été depuis longtemps. Clairement, la sortie des soins intensifs lui faisait du bien. J'avais très envie de lui poser certaines questions, mais je ne voulais pas la perturber.

— Tu as besoin de quelque chose, maman ?

— Non, non. Je suis juste trop heureuse d'avoir quitté ce milieu stérile.

Je souris.

— Tu as vraiment l'air beaucoup mieux. Ton visage guérit bien.

— Mais je vais avoir des cicatrices.

Il n'était plus question d'édulcorer la vérité maintenant qu'elle était hors de danger.

— Oui, tu auras des cicatrices. Mais tu sais quoi ? Ce n'est pas forcément une mauvaise chose. Elles montrent que tu t'es battue. Que tu as traversé des épreuves et que tu les as surmontées. C'est une bonne chose, les cicatrices.

— Je gagnais ma vie grâce à ma beauté, Jade. J'étais encore très demandée comme mannequin. Je ne gagnais plus autant d'argent que dans ma jeunesse, évidemment, mais je m'en sortais plutôt bien. Les fins de mois étaient difficiles, mais je n'étais pas inactive.

— Qui dit que c'est fini ?

— Chérie, regarde-moi.

— Je te regarde, maman. Je vois une belle femme énergique dont la vie est loin d'être terminée. Alors arrête de parler comme si c'était le cas.

— Non. J'ai toujours cru que tout m'était acquis. Je croyais que je serais toujours belle, et puis j'ai commencé à vieillir. Des pattes d'oie sont apparues, quelques taches brunes ici et là. Un bon maquillage et le tour était joué. Mais maintenant ? J'ai des cicatrices partout sur le visage. Je ne suis pas sûre que mon œil redeviendra comme avant.

— Maman…

— Laisse-moi finir. Tout ça me semblait acquis. Pas seulement mon physique, les gens aussi. Toi, ton père. Et Nico maintenant.

Je sentis mes poils se hérisser. Pourquoi fallait-il qu'elle mentionne ce salopard ? Je ne pouvais pas lui dire que nous pensions qu'il avait essayé de la tuer pour toucher l'argent de son assurance. Mais je pouvais peut-être découvrir pourquoi elle avait souscrit ce contrat.

— Maman, en parlant de Nico, qu'est-ce que c'est que cette histoire d'assurance que tu as souscrite ?

— Tu veux dire le contrat d'assurance vie ?

— Oui. Si tu désirais prendre une assurance vie, est-ce que ça n'aurait pas été plus logique de désigner un membre de ta famille comme bénéficiaire ?

— Tu veux dire *toi* ?

Merde. J'avais l'air carrément intéressée.

— Non, ce n'est pas ce à quoi je pensais. Enfin, si, mais je n'en ai pas après ton argent. En revanche, pourquoi un petit ami ? Vous n'étiez même pas fiancés.

— Je croyais que nous allions finir par nous marier.

— Je ne savais pas que tu avais l'intention de te remarier.

Elle soupira.

— Pendant très longtemps, j'ai pensé que ça n'arriverait jamais. Quand cet abruti de Neal Harmon m'a dépouillée de tout ce que j'avais, et que ton père a refusé de me reprendre ensuite. Mais Nico n'était pas comme les autres.

— Ah bon ? Comment ça ?

— Il n'était pas intéressé par mon argent. Je n'en avais pas, de toute façon. Pas beaucoup, en tout cas.

— Papa n'a jamais été intéressé par l'argent.

— Oh, je le sais. Mais il ne voulait pas de moi.

— C'était il y a dix ans. Qu'est-ce qui t'a fait penser que ce serait une bonne idée d'épouser Nico ?

— Il était formidable avec moi. Il m'achetait des cadeaux, des fleurs. Il me donnait l'impression que je comptais pour lui.

— Tu as donc décidé de souscrire un contrat d'assurance et de le nommer bénéficiaire parce qu'il t'offrait des fleurs ?

Je secouai la tête.

— En fait, c'était son idée, l'assurance.

Ben voyons.

— Pourquoi ? Il y a quelque chose que tu ne me dis pas ? Tu as un problème de santé ?

— Bien sûr que non, voyons. Déjà, si j'avais eu un problème de santé, je n'aurais pas pu souscrire le contrat.

Son argument était irréfutable. Cela dit, la seule et unique raison pour laquelle Nico aurait pu souhaiter ce contrat était le bénéfice qu'il pouvait en tirer. Comment pouvais-je l'amener à comprendre ça ? Et alors qu'elle était si vulnérable, le voulais-je vraiment ?

— Pourquoi crois-tu qu'il ait suggéré ça ? Je veux dire, que tu souscrives un contrat d'assurance vie dont il serait bénéficiaire.

— En fait, son idée était de souscrire un contrat maintenant parce que je ne rajeunis pas et qu'il valait mieux le faire tant que je n'ai pas de problèmes.

— D'accord, ça se comprend. Mais personne ne dépend de toi, maman. Papa et moi sommes indépendants. Si personne ne dépend de toi, il n'y a pas lieu de souscrire un contrat de prévoyance.

— Eh bien, ça me semblait logique. Je pouvais l'obtenir immédiatement et ça n'était pas cher.

— Tu as donc décidé de souscrire la police et il a voulu que tu le nommes bénéficiaire ?

Elle secoua la tête.

— Oh non, ça, c'était mon idée.

J'arquai les sourcils. *Son idée* ?

— Oui. Il a suggéré que ce soit toi, Jade. Ou ton père.

— Pourquoi tu n'as pas choisi l'un de nous, alors ?

— C'est ce que j'ai fait. J'ai inscrit ton nom dans la clause bénéficiaire. Mais ensuite, j'ai commencé à me dire que le roc dans ma vie ces derniers mois, c'était Nico.

— Ces derniers mois ? Tu as nommé comme bénéficiaire un homme que tu ne connais que depuis quelques mois ? Pas même une année entière ?

— Eh bien, oui. Par la suite, Nico et moi avons parlé de notre avenir. Il m'a dit qu'il m'aimait et qu'il voulait passer le reste de sa vie avec moi, et que peut-être, puisque nous allions nous marier de toute façon, il serait plus logique que ce soit lui mon bénéficiaire. Pour ne pas avoir besoin de changer la clause plus tard.

— Ah ah. C'était donc bien son idée, en fin de compte.

— Oh non. C'était ma décision.

Une fois de plus, ma mère s'était fait berner par un homme. Ça ne suffisait pas que son second mari lui ait dérobé toutes ses économies, il fallait maintenant que ce bonimenteur de merde vole sa vie. Mais ce n'était pas le moment d'insister. Elle commençait clairement à fatiguer.

— D'accord. Je comprends.

Ce qui était faux, mais à quoi bon le lui dire ?

— Je crois qu'on a assez parlé. Il faut que tu te reposes.

Elle ferma les yeux et soupira.

— Je suis tellement désolée, Jade. Pour tout. Quand Nico reviendra, il t'expliquera tout ça mieux que moi.

*Quand Nico reviendra.* Ma pauvre mère. Aussi naïve qu'au premier jour.

— Bien sûr. Ne t'inquiète pas, maman. Tout ce qui importe pour le moment, c'est que tu te reposes et que tu guérisses.

Quand elle se fut endormie, je retournai dans la salle d'attente et rapportai notre conversation à mon père.

— Il est bien tordu, ce Nico, hein ? dit mon père.

— On dirait. Si seulement elle pouvait voir clair dans son jeu.

— Quand elle constatera qu'il ne revient pas, elle ne pourra plus faire autrement.

— C'est quand même incompréhensible.

— Écoute, ta mère a deux défauts principaux. Le premier, c'est sa vanité.

Je lâchai un rire.

— Tu crois ? Je n'avais pas remarqué.

— Le second, c'est qu'elle a du mal à voir les gens pour ce qu'ils sont. C'est ce qui s'est passé avec son second mari, et c'est ce qui arrive aujourd'hui avec ce Nico. Ils l'ont tous les deux abreuvée de compliments, couverte de cadeaux, et elle se fait avoir à chaque fois. C'est pour cette raison que ça n'a jamais marché entre elle et moi.

— Comment ça ?

— Eh bien, Brooke est belle, pas de doute là-dessus. C'était une bombe quand je l'ai rencontrée, Jade. Stupéfiante. Mais j'ai vu la personne au-delà de sa beauté. Je savais qu'elle n'était pas parfaite, mais je l'aimais quand même. Ces défauts, je n'en ai pas fait un secret. Mais elle ne voulait pas être une personne réelle à mes yeux. Elle voulait être une princesse, une femme belle et parfaite – Brooke Bailey le top model. Et elle désirait que je la voie comme ça.

— Mais tu l'aimais.

— Oui. Je l'aimais. Avec ses défauts et le reste. Mais elle était incapable d'accepter que je voie ses défauts.

— Je continue malgré tout à me sentir coupable que tu n'aies pas pu vivre avec la femme que tu aimais, surtout alors qu'elle le voulait aussi.

— Nous en avons déjà parlé, ma chérie. Ma priorité, c'était toi. C'est toujours toi. Les priorités de ta mère étaient complètement faussées. Et visiblement, c'est toujours le cas.

— Elle m'a quand même dit vouloir repartir du bon pied avec moi. Et elle a reconnu qu'elle a tenu beaucoup de choses pour acquises dans sa vie.

Mon père hocha la tête.

— Tout ça, c'est un pas dans la bonne direction, c'est certain. Rien de tel que de frôler la mort pour vous ouvrir les yeux.

— Si seulement elle pouvait voir Nico pour ce qu'il est.

— Ça viendra, ma chérie. Mais il faut qu'elle le comprenne par elle-même. Ni toi ni moi ne pourrons la convaincre.

Je soupirai. Mon père avait raison, comme toujours. Il avait toujours brillé par son bon sens.

— Tu sais, j'aurais voulu que tu connaisses ta mère quand elle était plus jeune. Elle débordait de vie. Elle voulait que le monde soit à ses pieds, et pendant un temps, elle a cru que c'était le cas. Mais la notoriété et la fortune sont fugaces, Jade. Ce qui compte, ce sont les gens. Ceux qui nous aiment, qui ont besoin de nous, qui nous procurent des émotions. C'est ce qui est important dans la vie.

Je sentis mon cœur se dilater. Mon père n'avait jamais été riche matériellement, mais il avait de la sagesse à revendre. Je tendis la main pour la poser affectueusement sur la sienne, mais mon téléphone vibra avant que je puisse le faire.

— Excuse-moi.

Je sortis mon portable de mon sac.

Merde. C'était encore Ted Morse.

# Chapitre 22

## TALLON

Je me retrouvais une nouvelle fois dans le cabinet du docteur Carmichael, agrippé aux accoudoirs de son fauteuil vert.

Puisque je devais rester à Grand Junction jusqu'à 19 heures pour retrouver Shem au garage, autant occuper ce temps de façon constructive. Par le passé, le docteur Carmichael s'était montrée disposée à me voir le week-end, alors je l'avais appelée et elle avait accepté de me recevoir sans rendez-vous.

— De quoi voulez-vous parler aujourd'hui, Tallon ?

Je secouai la tête.

— Je n'en sais fichtre rien.

— Avez-vous réfléchi à ce que nous avons abordé la dernière fois ? À ce qui vous a donné la volonté de survivre alors que vous pensiez vouloir mourir ?

— Pas vraiment. Enfin, il est clair que je désirais vivre. J'ai fait tout ce qu'ils voulaient pour sauver ma peau. Même si la plupart du temps, j'aurais préféré mourir.

— Il y a une différence de taille entre souhaiter la mort et mourir véritablement. Je sais que ça paraît insensé, mais le subconscient comprend la nuance.

Je lâchai un soupir tremblant.

— Je suis content. D'avoir survécu, je veux dire.

Elle sourit.

— Je sais que vous l'êtes. Et je le suis aussi. Vous allez vous en sortir. Vous avez déjà fait d'énormes progrès. Je suis impressionnée.

Elle marqua une pause. Je ne savais pas quoi répondre. *Merci ?* Cela me paraissait d'une banalité… Je priai de toutes mes forces pour qu'elle reprenne la parole.

Mes prières furent exaucées.

— Vous m'avez dit au téléphone que vous pensiez avoir identifié deux de vos agresseurs, c'est bien cela ?

— Oui. Je ne peux pas l'affirmer, mais tout semble se tenir.

— Et ces deux hommes ont disparu ?

— Exact. Et devinez quoi ? L'un d'eux est de ma famille.

— Pardon ? lâcha-t-elle en haussant les sourcils.

— Ouais, Larry Wade, le procureur de la ville. C'est le patron de Jade, une véritable ordure. Elle a mené sa petite enquête et j'en ai eu la confirmation. Ma mère et lui ont le même père. Ça a été étouffé il y a des années et je n'arrive pas à comprendre pourquoi.

— C'est étrange.

Je secouai la tête.

— Je n'arrête pas d'y réfléchir, Doc. La seule explication, selon moi, c'est que mes parents ont fait le nécessaire pour dissimuler notre lien de parenté avec Larry parce qu'ils savaient quel genre d'homme il était.

— C'est possible.

— Mais dans ce cas, ils savaient peut-être…

Je ne pouvais pas me résoudre à prononcer ces mots. Mes parents avaient-ils connu l'identité de l'un de mes ravisseurs ? Sans rien faire pour l'arrêter ? Non, je ne pouvais pas le croire.

— Sous-entendez-vous qu'ils savaient que cet homme était l'un de ceux qui vont ont enlevé ?

— Je ne sais pas. Mais sinon, pourquoi auraient-ils cherché à cacher notre lien de parenté ?

— Nous ne pouvons que supposer, Tallon. Vos deux parents étant morts, il nous est impossible de leur poser la question. Malheureusement, vous allez devoir accepter l'idée que certaines de vos questions demeureront peut-être sans réponse.

— Sans doute. Mais ça me reste en travers de la gorge. Comment un membre de ma famille... j'étais son neveu, bon sang !

Le docteur Carmichael se pencha en avant.

— Ne laissez pas ces interrogations vous perturber. Vous ne trouverez jamais de réponse satisfaisante. Il est fort probable que cet homme, ce Larry, soit innocent. Nous n'avons aucun moyen de savoir s'il faisait partie des coupables. Mais si c'est le cas, n'oubliez pas que ces hommes étaient des psychopathes. Que vous soyez son neveu, ou même son fils, n'aurait eu aucune importance pour lui. Il ne vous considérait pas comme un être humain. Aux yeux de ces hommes, vous étiez un jouet, une chose. Alors, n'essayez pas de trouver une logique à leurs actes. Il n'y en a pas.

— J'aimerais simplement comprendre.

— Justement, c'est sans espoir. Seul un psychopathe peut en comprendre un autre. Il vaut mieux pour vous que vous restiez dans l'ignorance. Croyez-moi. Mais vous devez l'accepter. Il est impossible pour une personne normale, saine d'esprit, de comprendre les horreurs commises par un psychopathe.

— Mais pourquoi moi ?

Le docteur Carmichael secoua la tête.

— Encore une question à laquelle vous ne trouverez peut-être jamais de réponse. Vous étiez au mauvais endroit au mauvais moment.

— Si seulement je n'étais pas parti à la recherche de Luke…

— Mais vous l'avez fait. Et vous en avez subi les conséquences. Rien ne sert de se perdre dans des conjectures, Tallon. La seule chose à faire est d'accepter le passé et d'aller de l'avant.

Elle ne m'apprenait rien. Je l'avais suffisamment entendu – pas seulement de sa bouche, mais de celle de mes frères.

— Qu'est-ce qui vous fait dire que j'ai progressé ? Je ne me sens pas particulièrement différent.

— Vous plaisantez ? Vos progrès sont frappants. Vous pouvez en parler sans perdre connaissance ou déclencher un flash-back. C'est formidable.

Elle n'avait pas tort. Ma première consultation s'était soldée par un voyage aux urgences pour cause de malaise vagal.

— Et vous vous êtes ouvert. Vous avez avoué vos sentiments à Jade et raconté à votre sœur ce qui vous est arrivé.

— Et j'ai réussi à dire que j'étais désolé.

— En éprouviez-vous des difficultés auparavant ?

Je fis oui de la tête.

— Ce n'est pas que je ne l'étais pas, ni que je manquais de discernement, mais je devais me forcer à prononcer ces mots.

— Et c'est plus facile, à présent ?

— Oui. Allez savoir pourquoi.

— J'ai une petite idée.

— Ah oui ?

Elle me regarda droit dans les yeux.

— Vous avez cessé de tenir les autres pour responsables. De leur en vouloir parce qu'ils n'ont pas vécu ce que vous avez traversé.

Je baissai les yeux, contemplant mes mains crispées sur les accoudoirs. Avais-je vraiment fait ça ? Je fermai les paupières.

— Ce que vous dites n'est pas agréable à entendre, Doc.

— Non, mais avez-vous remarqué votre réaction ? Si vous êtes agrippé au fauteuil, vous ne sortez pas d'ici en claquant la porte. Vous ne me criez pas que j'ai tort. C'est très révélateur.

— Je ne m'étais jamais rendu compte…

— Bien sûr que non. Vous avez agi de manière totalement subliminale. Prenez vos frères, par exemple. Vous les aimez et il ne vous serait jamais venu à l'esprit de rejeter la faute sur eux pour ce qui vous est arrivé. Mais au fond de vous, vous leur en vouliez de ne pas avoir subi ces horreurs à votre place.

— Ce n'est pas vrai. Je suis content que mes frères y aient échappé. Sincèrement.

— Je le sais bien. Ce n'est pas ce que je veux dire. Je vous crois lorsque vous affirmez que vous ne souhaiteriez à personne ce que vous avez vécu. Mais au fond de vous, vous en vouliez à la terre entière. Parce que c'est vous qu'ils ont pris pour victime. Pourquoi pas quelqu'un d'autre ? Un autre enfant que vous ne connaissiez ni d'Ève ni d'Adam ? Vous êtes peut-être reconnaissant que Ryan ou Jonah y aient échappé, mais au fond, vous vous demandez quand même : pourquoi pas eux ? Pourquoi fallait-il que cela tombe sur vous ?

Pouvait-elle avoir raison ?

— Et vous croyez que c'est ce qui explique pourquoi il m'était si difficile de dire que j'étais désolé ?

— Oui, tout à fait. Pas vous ?

Je secouai la tête, les lèvres tremblantes.

— Bon sang, je n'ai jamais voulu…

— Je sais. Mais le subconscient est très puissant. Et la bonne nouvelle, c'est que vous êtes sur la voie de la guérison. Désormais, vous êtes capable de dire que vous êtes désolé. Vous progressez. Vous *allez* guérir.

— Je l'espère. Je porte ce fardeau depuis si longtemps. Je ne pensais pas m'en alléger un jour. D'ailleurs, je ne suis pas sûr d'en être un jour totalement libéré.

— Non, c'est impossible. Il fera toujours partie de votre histoire, de votre psychisme, de ce qui fait de vous Tallon Steel. En revanche, vous pouvez laisser le passé derrière vous et aller de l'avant. Vous accorder le droit d'aimer et d'être aimé. Vous avez déjà fait d'énormes progrès. Vous n'en avez peut-être pas l'impression, mais le simple fait de réussir à dire à quelqu'un que vous êtes désolé constitue un progrès considérable.

Avait-elle raison ? Soudain, j'eus une révélation. Comment avais-je pu ne pas m'en apercevoir plus tôt ?

— Waouh, soufflai-je à voix haute.

— Quoi ?

— Je ne me rappelle plus la dernière fois que je suis allé dans la cuisine en pleine nuit pour regarder un verre d'eau.

★ ★ ★

Les experts que j'avais retenus avant ma séance chez le docteur Carmichael me retrouvèrent à 19 heures chez le carrossier. Nous entrâmes par-derrière, et Shem nous ouvrit le portail.

— La voiture est là-bas, m'informa-t-il.

Il nous conduisit à une Bentley noire. Une foutue Bentley. J'étais fin connaisseur en matière de voitures de luxe, même si je préférais mon vieux pick-up à ma Mercedes.

— Merci de nous avoir permis de venir, Shem, dis-je. Voici Bill Friedman et Clark Tyson. Ils ont accepté d'examiner l'airbag pour voir s'il a été saboté.

— Vous pouvez y aller, répondit Shem.

— Merci, dis-je en lui tendant quelques billets. Pour le dérangement.

— Je vais attendre là-bas. Faites ce que vous avez à faire.

Ce disant, il regagna le garage d'un pas nonchalant.

Les deux hommes inspectèrent la voiture pendant environ une demi-heure avant de revenir vers moi.

— J'aimerais vous dire autre chose, monsieur Steel, dit Friedman. Mais la voiture a été entièrement réparée depuis l'accident et l'airbag, remplacé. Il n'y a aucun moyen de savoir si l'original a été saboté. Pensez-vous que Shem l'a encore en sa possession ? Celui qui ne s'est pas déployé ?

— Je n'en ai pas la moindre idée, mais nous allons lui poser la question.

Je fis signe à Shem par la fenêtre, et il sortit.

— Oui ?

— Ces messieurs ne trouvent pas de problème avec l'airbag. Rien n'indique qu'il a été saboté.

— Je m'en doutais. Faut dire qu'on a fait toutes les réparations nécessaires. On n'avait pas de raison de soupçonner un sabotage, donc on n'a pas cherché d'anomalie.

— Est-ce que vous avez encore l'airbag d'origine ? Celui qui ne s'est pas déclenché ? Je suppose que vous l'avez remplacé par un neuf.

— En effet. Je vais voir s'il traîne quelque part. Il était fichu, cela dit. Je ne vois pas pourquoi on l'aurait gardé.

— Vous n'avez rien remarqué d'étrange en le retirant ? interrogea Friedman.

— Non, je ne crois pas, mais encore une fois, je n'ai pas regardé le détail.

— Le capteur était peut-être défectueux, ou l'airbag, vieux et percé, suggéra Tyson. Rien de ce genre-là ?

Shem secoua de nouveau la tête.

— J'aimerais pouvoir vous aider, les gars. Mais comme je l'ai dit, nous n'avons pas fait attention à tout ça.

— Si l'airbag avait été abîmé, vous l'auriez sûrement remarqué, dit Friedman. Je vais devoir partir du principe qu'il s'agissait d'un capteur défectueux. Et maintenant qu'il a été remplacé, nous n'avons plus aucun moyen de prouver que le capteur d'origine fonctionnait mal. Et même si c'était le cas, cela ne voudrait pas dire que quelqu'un l'y avait installé volontairement. C'est de la mécanique. Parfois, certaines pièces s'abîment.

Je soupirai.

— Est-ce que changer un capteur d'airbag est à la portée de tout le monde ?

Shem s'esclaffa.

— Vous plaisantez ? On a des tas de clients médecins ou avocats qui n'y connaissent rien. J'étais mécano avant de devenir carrossier. C'est curieux de voir que les plus grands cerveaux de ce monde n'y connaissent rien en mécanique.

— Donc il est peu probable que le propriétaire de la voiture ait pu trafiquer le capteur tout seul.

Je réfléchissais à voix haute. J'allais devoir chercher qui s'était chargé de l'entretien de cette voiture par le passé. Je me tournai vers Friedman et Tyson, leur tendant à chacun une enveloppe remplie de billets.

— Messieurs, je vous remercie du temps que vous m'avez accordé.

— Merci, monsieur Steel, répondit Friedman. J'aurais préféré vous donner de meilleures nouvelles.

— Il y avait peu de chances que mes soupçons se confirment. Je vous suis reconnaissant de vous être déplacés un samedi soir.

Je pris congé des trois hommes et remontai dans ma voiture.

J'allais devoir poursuivre mon enquête. Et si Nico Kostas était bien celui que je pensais, la piste s'annonçait difficile – pour ne pas dire impossible – à remonter.

# Chapitre 23

JADE

— Bonjour, Ted.

— Jade, comment va votre mère ?

Comme s'il s'en souciait le moins du monde.

— Elle va bien. Elle est hors de danger.

— Bien, bien. Content de l'apprendre. Je suppose que la police vous a interrogée ?

— Je suis sûre que vous savez qu'elle l'a fait. Elle vous a sûrement rapporté notre conversation par le menu.

Ted se racla la gorge.

— Oui, bien sûr.

— Alors qu'est-ce que vous voulez exactement ?

— Des informations, Jade. Vous et ces voyous de Steel…

— Pardon ?

Nouveau raclement de gorge.

— Les frères Steel. Les frères Steel et vous êtes les dernières personnes à avoir vu mon fils.

Je me crispai. Où pouvait bien être Colin ?

— Ça ne signifie pas que l'un de nous sait où il se trouve.

Un silence. Puis :

— J'ai cru comprendre que vous fréquentiez désormais ce Tallon Steel, celui qui a agressé mon fils.

Les nouvelles circulaient vite. C'était moi qui avais voulu afficher notre relation. Je récoltais ce que j'avais semé. De toute façon, Ted Morse, avec ses moyens, aurait pu engager un détective privé qui se serait chargé de le renseigner.

— Oui, Tallon et moi sommes ensemble.

— Intéressant…

— Je ne vois pas en quoi cela peut vous intéresser.

— C'est intéressant, à mon sens, que l'ex-fiancée de mon fils et son agresseur, qui sort maintenant avec ladite ex-fiancée, soient les deux dernières personnes à l'avoir vu vivant.

— Il n'y a aucune raison de penser qu'il ne le soit plus, Ted.

— Quand même, drôle de coïncidence, vous ne trouvez pas ?

Cet homme me connaissait depuis sept ans. Il ne manquait pas d'air ! Je me retins de réagir.

— Cette conversation est terminée, dis-je en raccrochant.

Je tremblais de tous mes membres. Je ne savais absolument pas où se trouvait Colin, et même si je m'en souciais assez peu, je ne voulais surtout pas qu'il lui soit arrivé malheur. Mais cet homme avait du culot de nous accuser, Tallon et moi.

L'avocate que j'étais me conseillait la prudence. Je ne parlerais plus à Ted Morse. Je ne prendrais plus ses appels. S'il voulait s'entretenir avec moi, il devrait demander à la police de m'arrêter et de m'interroger. Et je ne prononcerais plus un mot sans la présence d'un avocat. Celui qui avait représenté Tallon, O'Keefe, avait été très bien. Je lui avais certes apporté cet accord sur un plateau, mais il était le meilleur avocat de Snow Creek à ma connaissance. Je l'appellerais lundi et lui expliquerais la situation. Et juste au cas où, je contacterais aussi Sherry Malone à Denver. J'avais été son assistante judiciaire et elle était une juriste hors pair.

Il ne me manquait plus que ça.

Où diable pouvait être Colin ? Cette histoire n'avait pas de sens. Il était bien fichu d'avoir mis les voiles sur un coup de tête. Il avait sans doute sauté dans un avion pour Cancun où il dépensait les deniers de son paternel en filles et en boissons.

Heureusement qu'il m'avait fait faux bond le jour de notre mariage. Si je l'avais épousé, quelle aurait donc été ma vie ? Cette seule idée me fit frissonner.

— Tout va bien, ma chérie ? s'enquit mon père.

Je répondis par l'affirmative. Pas besoin de l'ennuyer avec ça, alors qu'il s'inquiétait toujours pour ma mère.

— C'était encore le père de Colin. Il est toujours sans nouvelles de son fils.

— C'est bizarre qu'il ait subitement disparu.

— À qui le dis-tu.

Et je regrettais surtout que Tallon et moi ayons été les deux dernières personnes à l'avoir vu. Ça ne présageait rien de bon.

J'avais besoin de changer de sujet. J'en avais plus que ma claque de Colin. Je jetai un coup d'œil à ma montre.

— Il est 19 h 30. Tu as faim ?

Mon père sourit.

— Oui. Je n'ai rien pu avaler tant que ta mère était entre la vie et la mort, mais maintenant qu'elle va mieux, je meurs de faim.

— J'imagine que tu n'en peux plus, de la bouffe de l'hôpital. Allons dîner quelque part. Je ne connais pas très bien Grand Junction, mais il y a forcément un restaurant potable dans le coin. Et je viens de toucher ma paye.

— Tu n'économises pas pour t'acheter une voiture ?

— Si, mais maintenant je suis le procureur suppléant. J'ai eu une petite augmentation. Je crois que ça suffira pour offrir un repas à mon père.

— Ma chérie, ça me fait plaisir de t'inviter.

— Tu plaisantes ? J'attendais le jour où je pourrais t'offrir un resto. C'est à moi que ça fait plaisir. Qu'est-ce qui te tente ? Je vais regarder sur Google et voir ce que je trouve.

— Oh, tu me connais. Un burger et des frites et je suis un homme heureux.

— Oui, moi aussi. Je suppose que ma mère ne m'a pas transmis ses goûts de luxe.

— Ou c'est le budget modeste de ton père qui explique tes préférences.

J'éclatai de rire, consultant l'écran de mon téléphone.

— Il y a un italien pas très loin. Ce ne sera pas aussi bon que ce que Marj ou Felicia peuvent préparer, mais ça devrait aller.

— Qui est Felicia ?

— C'est la gouvernante des Steel. Une cuisinière hors pair.

— Un italien, ça me va très bien, ma chérie. En route.

★ ★ ★

J'étais à la moitié de ma *piccata* de veau au citron lorsque mon téléphone vibra sur la table.

— Ça te dérange si je réponds ? demandai-je à mon père en buvant une gorgée de mon chianti – qui ne valait pas l'assemblage italien de Ryan.

— Bien sûr que non.

Il enfourna une bouchée de spaghettis aux boulettes de viande. Mon père tout craché : un choix de plats italiens plus gastronomiques les uns que les autres et il optait pour les spaghettis aux boulettes de viande. Et c'était ce que j'aimais chez lui. Je lui souris tout en prenant le téléphone…

Je crus que mon cœur allait cesser de battre. C'était le numéro de Colin qui s'affichait sur mon écran.

— Allô ? Colin ?

Silence.

— Colin ? Parle-moi. Tout le monde s'inquiète pour toi. Où es-tu ?

Seul le silence me répondit, puis la communication fut coupée.

# Chapitre 24

J'envoyai un message à Jade pour la prévenir que j'étais encore en ville, prétextant avoir été retenu par des affaires. Ce n'était pas un mensonge. Le docteur Carmichael m'avait reçu pour une séance de thérapie, puis j'avais retrouvé les experts pour examiner la voiture de Kostas. Elle me répondit qu'elle dînait avec son père dans un restaurant italien près de l'hôpital et m'invita à les y retrouver. Je me rendis donc au Milano.

Une fois la porte franchie, je repérai Jade et son père et les rejoignis à leur table. Brian observait sa fille, les sourcils arqués.

— C'était Colin, dit-elle.

Je sentis mes nerfs tressaillir.

— Quoi ?

— Elle vient de recevoir un appel, m'expliqua Brian. Tu es sûre que c'était son numéro ?

— Oui, répondit-elle, à moins qu'il en ait changé. Mais je ne vois pas trop qui m'appellerait depuis son ancien numéro… C'est une bonne nouvelle, en tout cas. Ça veut dire qu'il est certainement en vie.

Elle secoua la tête.

— Dieu merci. Si seulement il m'avait parlé…

— Il n'a rien dit ? m'étonnai-je.

— Non. Est-ce qu'il existe un moyen de tracer l'appel ?

— Je ne sais pas, répondit Brian. Mais ne t'emballe pas trop vite…

— Pourquoi ? lâcha Jade, serrant le pied de son verre à vin.

— Ce n'était pas forcément Colin au bout du fil. Tout ce que nous savons, c'est que quelqu'un t'a appelée avec son téléphone.

La serveuse nous interrompit. Tous deux avaient bientôt fini leurs plats. Je commandai du poulet *marsala* et un verre de chianti.

— Il faut appeler la police, dis-je une fois la serveuse partie.

— C'est ce que je compte faire, répondit Jade. Mais tout ce que j'ai, c'est la carte de Steve Dugan avec son numéro au bureau.

— Pas de problème. Steve et moi, on joue au poker ensemble. J'ai son numéro de portable. Je vais l'appeler tout de suite.

Jade se mordit la lèvre.

— On est samedi, et il est 21 heures, Tallon.

— Et alors ? Il enquête sur la disparition de ce type et on vient de trouver une piste. Il faut le prévenir.

Je trouvai rapidement le numéro de Steve dans mes contacts.

— Allô ?

— Salut, Steve. C'est Tallon Steel.

— Bonsoir, Tal. Qu'est-ce qui t'arrive ?

— Jade vient de recevoir un appel provenant du téléphone de Colin Morse.

— *Quoi ?!* beugla Steve.

— Ouais. On est à Grand Junction, où sa mère est hospitalisée. Il y a environ une heure, quelqu'un l'a appelée depuis le portable de Colin, sans dire un mot, puis on a raccroché. Tu n'aurais pas un moyen de tracer le coup de fil ?

— Si, bien sûr. Tout ce qu'il me faut, c'est le numéro de Jade et l'heure de l'appel. On devrait pouvoir trouver quelque chose.

Je lui donnai aussitôt les informations requises.

— Je te rappelle si ça donne quelque chose.

— D'accord, merci. On sait au moins que c'était son numéro.

Évidemment, n'importe qui aurait pu appeler avec son téléphone.

— C'est vrai, répondit Steve. Je m'y mets et je te tiens au courant.

— Super. Merci, Steve.

Le temps que je termine mon coup de fil, on m'avait apporté mon poulet *marsala*. Il n'était pas à la hauteur de ceux de Felicia et de ma sœur, mais pas mauvais. En plus, je mourais de faim. Je n'avais rien avalé de la journée.

Je songeai à confier à Jade ce que j'avais fait ce soir, mais je me ravisai. Inutile de les inquiéter, elle et son père.

Être assis à côté de lui me mettait un peu mal à l'aise. Heureusement, ils parlaient beaucoup tous les deux, alors je me contentai de manger et participai très peu à la conversation. Lorsque j'eus terminé, j'insistai pour payer l'addition, en dépit des protestations de Jade.

Son père l'avait conduite ici depuis l'hôpital.

— Est-ce que tu veux prendre une chambre pour la nuit ? lui demandai-je. Ou tu préfères que je te ramène au ranch ?

— Puisque ma mère va mieux, je crois que c'est aussi bien que je rentre à mon appartement ce soir. Pas au ranch. Je n'ai rien à moi là-bas.

Ma gorge se noua.

— D'accord.

Je me tournai vers son père pour lui serrer la main.

— C'était un plaisir de vous revoir, Brian.

— Pareillement.

Sur le chemin du retour, Jade et moi restâmes plutôt silencieux. Elle était manifestement épuisée, et moi aussi. J'avais passé la nuit précédente à faire des recherches sur ces salopards et n'avais pas fermé l'œil.

Je déposai Jade chez elle et l'embrassai en guise d'au revoir. J'avais très envie de lui faire l'amour, mais j'étais trop crevé, alors je me contentai d'un baiser passionné, puis je rentrai au ranch.

\* \* \*

Le lundi matin, j'étais de retour dans le cabinet du docteur Carmichael.

— Je vous jure, Doc, il faut absolument que je trouve quelque chose à propos du troisième homme, celui qui avait la voix grave. Je pense avoir identifié celui au tatouage et celui à qui il manque un orteil. Bien sûr, ils ont disparu tous les deux. Mais je les retrouverai tous, d'une façon ou d'une autre.

— Vous semblez très déterminé, ce qui est une bonne chose. Mais rappelez-vous qu'il y a encore quelques semaines, vous n'étiez pas sûr de vouloir vous lancer à leur recherche. Ne laissez pas votre soif de vengeance vous éloigner de votre objectif, qui est la guérison.

— Vous ne pensez pas que voir les coupables derrière les barreaux m'aiderait à guérir ?

— Pas tant que ça, même si cela ne compromettrait sans doute pas vos progrès. Sauf si vous vous laissez déconcentrer et que vous négligez le travail sur vous.

— Comment pouvez-vous dire ça ?

— Voyez les choses autrement. Admettons que vous soyez une mère dont l'enfant a été assassiné. Ou un père, si vous préférez. Le coupable est arrêté, condamné, et passera désormais le restant de ses jours en prison. Est-ce que cela vous réconforte ?

— Oui, sûrement.

— Cela vous rendra-t-il votre enfant ?

— Eh bien, non, évidemment.

— Rappelez-vous pourquoi vous êtes ici. Chercher à rendre justice et envoyer vos ravisseurs derrière les barreaux ne changera rien à ce qu'ils vous ont fait subir, Tallon. Moi aussi, je souhaite qu'ils aillent en prison. Je veux qu'ils payent pour ce qu'ils vous ont fait, à vous et à tous ces autres enfants. Et j'aimerais avoir la certitude qu'ils ne pourront plus jamais faire de mal à qui que ce soit. Mais cela ne changera rien à ce que vous avez traversé.

— Bon sang, Doc…

— Ne vous méprenez pas. Je ne dénigre absolument pas votre besoin que justice soit rendue. Je le souhaite autant que vous. Mais que ces hommes soient incarcérés ou pas ne changera pas ce qui vous est arrivé et n'aura aucun effet sur votre guérison.

— Ça me semble difficile à croire.

— Oui, cela vous paraît insensé tant qu'ils sont encore en liberté. Mais faites-moi confiance. J'ai eu beaucoup de patients qui pensaient aller mieux après que la personne qui leur avait fait du mal serait en prison. Mais c'est une illusion. Ce n'est pas comme ça que ça marche. Je le regrette, vous pouvez me croire. Naturellement, je me retrouverais alors au chômage, ajouta-t-elle avec un sourire.

Je réfléchis un instant. Et si l'un de mes proches avait été assassiné ? L'un de mes frères, ou ma sœur ? Ou encore – *bon Dieu* – Jade ? Est-ce que je me sentirais mieux en sachant le meurtrier derrière les barreaux ? Cela ne ramènerait pas Jade à la vie.

— OK, Doc, je vois où vous voulez en venir.

— Je ne suis pas en train de vous dire que vous devez cesser d'essayer de les retrouver pour qu'ils soient jugés. Mais ne confondez pas cela avec votre guérison.

— Compris.

— Alors, vous souhaitez tenter de vous souvenir du troisième homme, celui que vous appeliez Voix Grave, c'est bien cela ?

Je fis oui de la tête.

— Jusqu'à présent, le seul détail constant était le tatouage du phénix. Puis récemment, je me suis rappelé qu'il manquait un orteil à l'un des autres. Alors je devrais pouvoir me remémorer quelque chose au sujet du troisième.

— C'est tout à fait possible. Mais le tatouage et l'orteil manquant sont des caractéristiques physiques très particulières que la plupart des gens n'ont pas. Et si le troisième individu ne possédait aucun trait distinctif de ce genre ?

— Il y a sûrement un détail qui pourrait me revenir. Déjà, il avait la voix grave.

— Mais vous l'avez dit vous-même, c'était votre impression de garçon de dix ans, avant que votre voix mue. Donc, tout ce que nous pouvons en déduire, c'est que la voix de cet homme était plus grave que celle des deux autres.

— N'essayez pas de me décourager, Doc.

Elle sourit.

— Loin de moi cette idée, Tallon. Je veux simplement que vous gardiez à l'esprit que ce troisième homme n'a peut-être aucun signe distinctif.

— Je dois quand même essayer.

— Très bien. Voulez-vous retenter l'hypnose guidée ? Je préfère vous prévenir que ce ne sera pas comme la dernière fois. Nous vous avions replongé dans un rêve que vous aviez fait peu de temps auparavant. Cette fois-ci, je vais devoir vous ramener à l'époque de vos dix ans, vous faire revivre les horreurs qui se sont réellement déroulées. Vous sentez-vous prêt ?

Fermant les paupières, je pris une profonde inspiration.

Lentement, je relâchai mon souffle, intimant à mes mains, crispées sur le fauteuil, de se détendre. Je devais le faire. Retrouver ces enfoirés ne m'aiderait peut-être pas à guérir, mais au moins, je m'assurerais qu'ils reçoivent la peine qu'ils méritaient. Je rouvris les yeux et lançai au docteur Carmichael un regard intense.

— Oui. Je suis sûr. Allons-y, Doc.

★ ★ ★

*Parfois, je rêvais d'une plage. Nous n'allions pas souvent à la mer, seulement de temps en temps, en Floride et en Californie. J'avais vu les deux océans. Rien ne m'amusait plus que les vagues. Joe, Ryan et moi adorions jouer dans l'eau. Nos maillots de bain se remplissaient de sable, mais nous y retournions gaiement.*

*Ma mère s'écriait : « Ryan, ne va pas plus loin ! »*

*Mais mon petit frère refusait de rester en retrait. Il me suivait comme mon ombre. Quant à moi, je suivais Joe. Tout à la plage était agréable. Le bruit des vagues, le parfum du sable, la crème solaire à l'huile de coco, les poissons. Parfois, j'allais marcher tout seul en quête de coquillages. Cela n'intéressait pas mes frères, surtout Joe. Mon grand frère adorait l'eau et n'en sortait pas de la journée. Ryan, quoique moins attiré par les baignades, ne voyait pas l'intérêt de ramasser des coquillages, alors mes promenades sur la plage étaient le seul moment où il ne me suivait pas. J'appréciais cette solitude. Mon petit frère me cassait souvent les pieds.*

*Parfois, je m'allongeais sur ma serviette et laissais le soleil réchauffer ma peau humide.*

*Comme je le faisais en cet instant.*

*Je laissai les rayons et leur douce chaleur m'imprégner.*

*Avais-je jamais ressenti un tel sentiment de sérénité ? Peut-être lorsque je montais à cheval. Mais c'étaient les seules occasions.*

*Il m'arrivait de regretter qu'on habite dans le Colorado. Les montagnes étaient belles et je les aimais, mais l'océan avait ce petit quelque chose…*

*Soudain, on m'arracha à ma serviette de bain.*

*— Prêt pour un peu d'action, petit ? demanda celui qui avait la voix grave.*

*— J'ai faim, couinai-je.*

*— On t'a déjà nourri, non ?*

*Je ne me souvenais plus quand j'avais mangé pour la dernière fois. J'avais perdu le fil. Le troisième, celui à qui il manquait un orteil, qui semblait davantage suivre le mouvement, m'apportait parfois trois repas par jour. D'autres fois, il ne venait pas du tout. De toute manière, je rendais souvent le contenu de mon estomac.*

*— Si tu es une bonne petite pute, on t'apportera un steak frites, ricana Voix Grave près de mon oreille. Ça te plairait, petit ? Un bon steak bien saignant ?*

*Je fermai les yeux.*

*— Prépare-le pour moi, ordonna une autre voix démoniaque.*

*Le Tatoué. Sa voix était la plus répugnante, la plus diabolique. Si elle avait une couleur, ce serait le noir avec des taches rouges. C'était la couleur que j'imaginais chaque fois que je l'entendais parler, comme si le mal en personne s'exprimait.*

*C'était le cas, bien sûr.*

*J'avais cessé de considérer ces trois individus comme des humains. Aucun humain ne commettrait pareilles atrocités.*

*Je prenais mon mal en patience. Combien de temps encore avant qu'ils se lassent de moi, qu'ils me tuent et me découpent en morceaux comme Luke ?*

*J'espérais que l'attente ne serait plus très longue.*

*— Je vais m'en occuper, dit Voix Grave. Il sera bien lubrifié.*

*Je fus secoué de tremblements. Je ne voulais pas trembler, mais mon corps agissait de son propre chef. Pourtant, je savais très bien ce qui allait arriver. Pas comme la première fois, où ils m'avaient pris par surprise, me faisant oublier tout ce qu'il y avait de bon dans ce monde.*

*— Mets-toi en position, salope, ordonna Voix Grave.*

*« Mets-toi en position. » Ces mots tant redoutés. Ils signifiaient que je devais me mettre à quatre pattes.*

*Je me préparai à la souffrance. L'inévitable souffrance.*

*Mais elle n'arriva pas aussitôt. D'abord, je sentis son souffle chaud et fétide sur ma nuque. Sa respiration rauque, laborieuse, m'accompagnant tandis que j'attendais, comme suspendu dans le temps, la douleur aiguë qui viendrait bientôt. Elle me déchira alors, telle une lance métallique. Un cri m'échappa.*

*— C'est ça, petite salope. Ouais, grogna Voix Grave.*

*Comme à chaque fois, je me détachai de la réalité. Même si ce n'était pas le Tatoué, je pensais toujours à l'oiseau. Cet oiseau coloré sur lequel je pouvais me concentrer pour supporter la douleur, l'humiliation.*

*J'avais appris à visualiser l'oiseau sur chacun de leurs avant-bras. Cela m'apportait du réconfort.*

*Je focalisai mon esprit sur cette image, lui intimant de quitter mon corps pour s'élever vers le ciel, tel le phénix renaissant de ses cendres. C'était le seul moyen de surmonter cette horreur.*

*Mais même hors de mon corps, je m'entendis crier.*

*Ils aimaient que je crie. Si je me retenais, ils me donnaient un coup sur la tête ou me bottaient les fesses. Encore plus de douleur et d'humiliation. Malgré cela, j'aurais tout donné pour ne pas crier, pour les priver de cette satisfaction.*

*Ils avaient raison, au fond, j'étais une petite salope. Je n'arrivais pas à contrôler mes réactions.*

*Mon Dieu… Mon Dieu…*
— *Non, non, non, non, non !*

★ ★ ★

J'émergeai dans le cabinet du docteur Carmichael, agrippé au fauteuil. La sueur perlait à mon front et coulait sur mes joues.

Ou bien étaient-ce des larmes ?

— Tout va bien, Tallon, dit-elle d'une voix rassurante. Vous n'êtes pas obligé d'y retourner.

— Bon sang, j'y étais. J'étais là-bas.

— Oui. Nous progressions.

— Qu'est-ce qui m'a ramené ?

— Vous êtes sorti tout seul de la transe. En temps normal, je vous en aurais fait sortir graduellement. Mais rappelez-vous : la première fois que nous avons essayé l'hypnose, je vous ai dit que vous pourriez en sortir à tout instant si vous le souhaitiez. C'est ce qui s'est produit. Désormais, vous savez que vous en êtes capable.

La respiration saccadée, je haletais tel un foutu clébard. J'avais vécu la scène comme si c'était hier. Ce salopard, celui à la voix grave dont je n'avais aucun souvenir, il était là, au-dessus de moi, et je me concentrais sur son avant-bras. Son avant-bras sans tatouage…

Rien. Je n'avais rien vu. Aucun signe distinctif. Du moins pour le moment.

Je devais y retourner.

Je n'en avais pas envie, mais il le fallait.

— Renvoyez-moi là-bas, Doc.

— Êtes-vous sûr ?

Je fis oui de la tête.

— Je dois le faire. Il y a forcément quelque chose.

★ ★ ★

*Pas de plage, cette fois-ci. Je me trouvais de nouveau dans cette cave humide, Voix Grave au-dessus de moi.*

*Toujours détaché de la scène, je visualisai l'oiseau sur son avant-bras sans tatouage...*

Regarde autour de toi, *me souffla une voix intérieure.* Ouvre l'œil, tu trouveras peut-être quelque chose.

*Rien sur l'avant-bras gauche. Il portait des manches courtes, noires. Vêtements noirs, masque noir, leur uniforme habituel. Le seul à faire des fantaisies de temps à autre était le troisième, le suiveur, le mouton.*

*Je n'avais jamais vu les deux autres porter autre chose que du noir. Parfois des tee-shirts, d'autres fois des débardeurs. Aujourd'hui, c'était un tee-shirt.*

*Malgré l'épreuve que cela représentait, je me forçai à détourner les yeux de l'oiseau de feu invisible sur son avant-bras gauche. Je ne distinguai pas grand-chose. Comme il était sur moi, mon champ de vision était limité. Je voyais ses mains – des ongles étrangement propres et soignés. De longs doigts fins, mais rien d'inhabituel. J'observai son autre main, son bras droit.*

— *Ouais, petite salope. J'y suis presque.*

— *Lubrifie-le bien pour moi,* ordonna à nouveau le Tatoué.

*Je ravalai la bile qui me montait à la gorge. Je ne voulais pas me prendre une raclée parce que j'avais vomi.*

*Cela finirait par arriver, de toute façon. Je vomissais à chaque fois. Mais d'ordinaire, j'arrivais à me retenir jusqu'à leur départ.*

*Sa main droite était identique à la gauche : doigts longs, ongles propres. Rien sur son avant-bras non plus. Je promenai mon regard plus haut sur son bras.*

*Désormais, il n'était plus vêtu d'un tee-shirt, mais d'un débardeur noir. Comment ce détail avait-il pu changer ?*

*Je devenais fou. Complètement cinglé. Mon cerveau ne faisait plus la distinction entre le rêve et la réalité. La nuit, les murs se refermaient sur moi, l'oiseau jaillissait de l'obscurité pour me narguer. Tout cela semblait parfaitement réel.*

*Aussi me paraissait-il logique que son tee-shirt se soit changé en débardeur. Le haut de son bras se trouvait pile au niveau de mes yeux.*

*C'est alors que je la vis.*

*Une marque sombre sur sa peau. Une tache de naissance, à l'intérieur du bras, tout près de son aisselle.*

*Sa forme me rappelait quelque chose.*

*C'était une forme étrange. Où avais-je bien pu la voir ?*

*— Ah ! grogna-t-il, m'assénant un dernier coup de boutoir.*

*Puis il se retira et ce fut le soulagement.*

*La douleur était toujours présente et je savais qu'un autre ne tarderait pas à prendre sa place, mais pendant ces quelques précieuses secondes de répit, je ressentis un véritable soulagement.*

*Il était parti.*

*Cette forme… Où l'avais-je vue auparavant ?*

*Où ?*

*Soudain, la douleur s'évanouit. Comme si elle n'avait jamais existé. J'étais de retour sur ma serviette de plage moelleuse, sous le soleil californien. Au loin, mes frères s'éclaboussaient dans des éclats de rire. J'ouvris les yeux. Ma mère était assise à côté de moi, occupée à lire. Ses longs cheveux bruns étaient tirés en queue-de-cheval et elle portait une capeline et des lunettes de soleil.*

*Elle était belle, ma mère. Si belle…*

*Me tournant de l'autre côté, je vis mon père, grand et fort, assis près de moi lui aussi. Il ne lisait pas, il surveillait mes frères. Il ne nous quittait jamais des yeux. Aucune de nos bêtises ne lui échappait, malgré tous nos efforts pour les dissimuler.*

*Il nous surveillait constamment.*

*C'était très agaçant, mais je savais aussi combien il nous aimait.*

*Nous étions aimés.*

*J'étais aimé.*

*Je refermai les paupières et me laissai envelopper par la chaleur du soleil.*

★ ★ ★

Lorsque je rouvris les yeux, j'étais à nouveau dans le cabinet du docteur Carmichael, assis dans le fauteuil inclinable. Étrangement, je n'étais pas cramponné aux accoudoirs.

Je lui lançai un regard.

— Je me souviens de quelque chose.

# Chapitre 25

## JADE

Une fois mes audiences du matin terminées, je quittai le tribunal et retournai au bureau, décidée à mener mon enquête – pas sur les Steel comme me l'avait demandé Larry. Après tout, il n'était plus là. Il avait disparu, ainsi que Nico Kostas et Colin.

Il était peu probable que Larry et Nico puissent être impliqués dans la disparition de Colin. Je n'avais pas encore eu de nouvelles de Steve Dugan à propos du coup de fil que j'avais reçu. S'il ne me téléphonait pas d'ici ce soir, je l'appellerais.

En attendant, j'avais un peu de temps à tuer et je décidai donc de faire quelques recherches sur Nico Kostas. Je m'arrêtai cependant très vite. J'avais été scandalisée par l'absence de déontologie de Larry dans sa fonction de procureur municipal. Et maintenant que j'étais procureur suppléant, voilà que j'enquêtais sur des affaires qui n'avaient rien à voir avec mon travail du moment.

Hors de question pour moi d'être ce genre d'avocate. Si nécessaire, j'utiliserais les ressources du service, mais sur mon temps personnel, après mes heures de travail. Personne ne s'étonnerait que je reste au bureau le soir pour plancher sur des dossiers. Pour le moment, j'étais le procureur suppléant et je me comporterais comme tel.

Quelques heures plus tard, lorsque j'eus terminé tout ce qui était à l'ordre du jour, je me penchai à nouveau sur la dernière mission que m'avait confiée Larry : enquêter sur les Steel.

Il avait commencé par me donner une énorme pile de dossiers remplis de relevés bancaires. Tout ce que j'avais pu trouver d'inhabituel était un virement de cinq millions de dollars effectué vingt-cinq ans plus tôt.

Si j'avais appris une chose à propos de la famille Steel, c'est qu'ils n'hésitaient pas à allonger les billets pour obtenir ce qu'ils voulaient.

Ces cinq millions de dollars étaient bien allés quelque part et j'allais découvrir qui en était le bénéficiaire.

Tallon m'avait dit une fois que quelque chose d'horrible lui était arrivé. Je n'avais pas la moindre idée de ce dont il pouvait s'agir, mais il était possible que ça se soit produit à cette époque. Qu'avait-il bien pu se passer que les Steel soient disposés à cacher en payant cinq millions de dollars ?

Je n'en savais strictement rien, mais je pouvais toujours commencer par essayer de découvrir où était allé cet argent.

Même si j'avais conscience qu'elle ne voulait plus entendre parler de moi, je décidai d'appeler Wendy Madigan, l'ancienne correspondante du réseau NNN qui avait contribué quelques semaines plus tôt à éclaircir un peu le mystère Steel. Je cherchai son numéro et pris le téléphone.

— Mademoiselle Roberts ?

Je ne pus m'empêcher de sourire.

— Merci d'avoir décroché, Wendy. Étant donné que vous saviez manifestement que c'était moi, je suis agréablement surprise que vous l'ayez fait.

Je l'entendis soupirer.

— J'aimerais sincèrement pouvoir vous aider. Ou plutôt, j'aimerais remonter le temps et changer certaines choses.

— Cela inclurait votre liaison avec Bradford Steel ?

Un autre soupir.

— Non. Autant je détestais l'idée d'être sa maîtresse, autant Brad et moi... Eh bien, il y avait un lien entre nous, dont peu de gens font l'expérience, à mon avis. Comme si nous nous étions connus dans une autre vie, en quelque sorte. Nos âmes étaient liées.

Encore un soupir.

— Je ne veux pas donner l'impression d'être une évaporée. J'ai la tête sur les épaules et je suis pragmatique.

Elle laissa échapper un rire.

— Je le sais. Nos conversations me l'ont prouvé et vous étiez journaliste. Pour exercer ce métier, il faut avoir les pieds sur terre.

— Je suis heureuse que vous perceviez cette facette de ma personnalité. J'aimerais sincèrement pouvoir vous aider. J'aimerais pouvoir aider ces garçons et leur sœur. Je ne portais pas leur mère dans mon cœur, mais j'adorais leur père. Il était tout pour moi. Ces garçons... Ils sont le portrait de leur père.

— C'est ce que j'ai cru comprendre. Marjorie dit toujours qu'elle est la seule à ressembler un peu à leur mère. La forme du visage et la bouche. Pour le reste, elle est la version féminine de ses frères.

— Si vous aviez connu Brad, vous comprendriez tout de suite pourquoi ses gènes étaient tellement dominants. C'est ce qu'il était. Un dominant. Qui voulait tout régir, mais avec bienveillance.

Elle poussa encore un soupir.

— Pourquoi est-ce que je vous raconte tout ça ?

Bonne question, en effet, mais je ne voulais pas qu'elle s'arrête.

— Si cela vous fait du bien d'en parler, je vous en prie, continuez. Je ne trahirai pas votre confiance. Tout ce qui m'intéresse, c'est d'aider les Steel.

— Pour tout vous dire, Jade, je vous sens bien. Je sais que vous êtes la meilleure amie de Marjorie et que vous ne feriez rien pour la blesser. Je ne sais vraiment pas pourquoi votre patron veut enquêter sur les Steel.

Quelque chose dans son ton m'interpella – comme si elle le savait au contraire très bien.

— Pouvez-vous m'en dire davantage au sujet de Bradford Steel ? Marjorie ne parle pas beaucoup de lui et, bien sûr, elle ne se souvient pas de sa mère.

— Tout ce que je peux vous dire, c'est qu'il ne ressemblait à personne. Sa présence, sa manière de se tenir, sa force tranquille, tout ce qu'un homme devrait être. Je ne peux pas l'expliquer mieux que ça, et je suis sûre que vous ne comprenez pas ce que je veux dire.

Oh que si. Incontestablement, Tallon tenait beaucoup de son père. Et pour autant que je sache, ses deux frères aussi, et pas seulement physiquement.

— Avez-vous déjà été amoureuse, Jade ? Au point d'être prête à tout pour un homme ? À donner votre vie pour lui ? C'est ce que j'éprouvais pour Brad. Et je n'ai pas peur d'affirmer que c'était réciproque. Si Daphne n'était pas tombée enceinte de leur fils aîné, je ne pense pas qu'ils se seraient mariés.

Oh, comme je comprenais. Et le moment était peut-être venu de m'ouvrir à Wendy maintenant qu'elle s'ouvrait à moi. En outre, Tallon avait accepté d'afficher notre relation.

— Wendy, je sais très ce que vous ressentez. Et la raison en est…

Je m'éclaircis la voix et pris une profonde inspiration. Oui, c'était ce que je devais faire.

— J'ai gardé votre secret. Je vais vous demander de garder le mien.

— Bien entendu.

— Je vous comprends très bien parce que je suis amoureuse. De Tallon Steel.

Seul le silence me répondit.

— Je suppose que c'est une surprise.

— Non, ce n'est pas ça. C'est juste…

— Juste quoi ?

— Tallon a des… problèmes.

L'euphémisme de l'année.

— Je sais, il suit une thérapie.

— Il vous l'a dit ? Je veux dire, *pourquoi* il a besoin d'une thérapie ?

Pouvais-je prêcher le faux pour savoir le vrai ? Mais je ne pouvais pas faire cela à Tallon. Je lui avais promis de ne pas le presser, de le laisser me raconter ce qu'il voulait à son propre rythme. Alors, je fis taire l'avocate en moi.

— Non, il ne l'a pas fait. Il n'est pas encore prêt et je lui ai promis de ne pas le presser.

— Je vous le dirais si je le pouvais.

— Oui, je veux bien vous croire. Mais n'en faites rien. Ce ne serait pas honnête envers Tallon. Il a toute ma confiance. Et si je veux espérer un jour gagner la sienne, il doit savoir que je n'essaierai jamais d'obtenir des informations derrière son dos.

— On dirait qu'il a de la chance de vous avoir, Jade.

— Oh, je ne sais pas. Tout ce que je peux vous dire, c'est que ma relation avec Tallon ressemble beaucoup à celle que vous aviez avec son père. Il remplit une pièce de sa seule présence, de sa force et de son autorité naturelle.

Wendy laissa échapper un petit rire.

— Et on ne s'ennuie pas au lit, n'est-ce pas ?

Le rouge me monta aux joues. Je n'avais pas eu l'intention d'aller sur un terrain aussi personnel.

— Eh bien, sans divulguer de secrets d'alcôve, je ne peux qu'être d'accord avec vous.

— Tel père, tel fils.

Je pouvais presque la voir sourire à l'autre bout de la ligne.

Aussi captivant que puisse être le tour que prenait cette conversation, nous nous écartions du sujet qui m'avait poussée à l'appeler.

— Je suis certaine que Tallon me racontera tout quand il sera prêt. D'ici là, je n'essayerai pas d'exhumer ce qu'il n'est pas disposé à me divulguer. Mais je suis inquiète. Mon patron veut obtenir des informations sur les Steel. Et je vais être honnête avec vous. Je ne sais pas exactement pourquoi. Tout ce qu'il m'a dit, c'est que c'était classifié. Il pense qu'ils pourraient être impliqués dans le crime organisé et le blanchiment d'argent.

Wendy poussa une exclamation de surprise horrifiée.

— C'est ridicule.

— Sincèrement, Wendy, je ne crois pas qu'ils trempent dans le crime organisé. Je n'ai rien trouvé qui indique qu'ils soient impliqués dans des activités illégales.

— Je peux vous affirmer qu'ils ne le sont pas. Ni Brad ni son père ne se seraient engagés dans des affaires criminelles et l'argent sale. Ils étaient de vrais gentlemen. L'intégrité comptait plus que tout à leurs yeux.

— Je vous crois.

C'était la vérité.

— Mais Larry a forcément une raison de vouloir enquêter sur eux. Savez-vous ce que ça pourrait être ?

De nouveau, le silence.

— Wendy ? Vous êtes toujours là ?

— Oui, dit-elle doucement.

— Eh bien, vous pensez à quelque chose ?

— En effet, mais je ne peux pas vous en faire part sans révéler des secrets que j'ai juré de ne jamais révéler.

Des secrets concernant Tallon ? Parce que si ce n'était pas le cas, je ne voyais pas pourquoi elle ne pouvait pas me les divulguer. Mais elle m'en avait déjà beaucoup dit. Je ne voulais pas insister davantage.

— Pouvez-vous au moins m'orienter dans la bonne direction ?

— Tallon vous dira tout quand il sera prêt. À ce moment-là, quand vous connaîtrez son histoire, rappelez-moi.

# Chapitre 26

## TALLON

— Détendez-vous un instant. Faites le vide dans votre esprit. Vous venez de vivre un moment éprouvant. Respirez profondément, Tallon.

Je suivis les instructions du docteur Carmichael et me concentrai sur ma respiration.

— Bien, dit-elle. À présent, dites-moi ce qui vous est revenu.

— Celui à la voix grave. Il a une tache de naissance. Pas une tache de vin, mais café au lait.

Elle hocha la tête.

— Où l'avez-vous vue ?

— Sur son bras. C'était très étrange. Quand mon flash-back a commencé, il portait un tee-shirt noir. Je ne voyais rien. Et soudain, son tee-shirt a été remplacé par un débardeur noir. Vous savez, un de ces débardeurs très échancrés. Comment est-ce possible ?

— Je vous guidais. Vous m'avez décrit sa tenue, puis je vous ai demandé si vos ravisseurs portaient parfois des vêtements différents. Vous m'avez alors répondu qu'il vous arrivait de voir celui-ci en débardeur noir. Nous avons manipulé votre vision.

— Incroyable.

— L'hypnose est un outil très puissant, surtout chez les patients qui souhaitent réellement être aidés. C'est bon signe, Tallon.

— Sa tache de naissance avait une forme particulière. Je ne saurais pas la décrire… Les contours étaient irréguliers. Mais elle m'a semblé familière.

— Reconnaîtriez-vous cette forme si vous la voyiez à nouveau ?

— Je crois.

Je balayai son cabinet du regard, me creusant la cervelle. Soudain, mes yeux se posèrent sur le globe terrestre qui décorait son bureau. Je me levai brusquement, le saisis et le lui apportai, l'index pointé sur les États-Unis.

— Le Texas. On aurait dit la forme de l'État du Texas.

— Exactement la même forme ?

— Non, bien sûr. Mais elle m'y faisait penser. Tout au long du flash-back, je n'arrêtais pas de me dire que je l'avais déjà vue quelque part. C'était ça.

— D'accord. Et où se trouvait cette tache de naissance ?

— À l'intérieur de son bras, presque au niveau de l'aisselle.

Je posai le globe sur la table basse devant nous.

— Pourquoi l'avais-je oublié ?

— Tallon, vous avez refoulé beaucoup de choses. Vous ne vous êtes rappelé que très récemment qu'il manquait un orteil à l'un de vos ravisseurs. C'est tout à fait normal.

— Dans ce cas, pourquoi n'ai-je pas refoulé le pire ? Comment expliquez-vous que je me souvienne de chacune des fois où ils ont abusé de moi, où ils m'ont fait du mal ? Ça n'aurait pas été plus logique de refouler ça ?

— L'esprit humain est mystérieux, Tallon. Je ne peux pas vous dire pourquoi vous avez retenu certaines choses plutôt que d'autres. Ce que je peux vous affirmer en revanche, c'est que pendant votre captivité, on vous a fait du mal. Trois pervers cagoulés vous ont fait beaucoup de mal. Vous n'aviez que dix ans. La souffrance occupait toutes vos pensées. Vous n'aviez aucune raison de remarquer autre chose.

Elle était sans doute dans le vrai. Je n'en savais rien, à ce stade. Et comment mettre la main sur un type avec une tache de naissance qui avait la forme du Texas ? Certes, j'en avais trouvé un avec un tatouage de phénix, et un autre à qui il manquait un orteil. Et même si les chances étaient minces, mon intuition me disait que j'avais identifié les coupables.

D'autant que les deux premiers avaient maintenant disparu.

— Comment vais-je trouver le troisième ?

— J'aimerais avoir la réponse à cette question. J'aimerais pouvoir vous garantir que tous les criminels ayant commis un acte odieux sur un enfant seront traduits en justice. Mais malheureusement, nous ne vivons pas dans un monde parfait. De nombreux criminels s'en sortent impunément, ou ne sont jamais arrêtés.

Des paroles véridiques – je ne le savais que trop bien.

— Je peux au moins chercher les deux autres.

— Absolument, si cela vous apaise. Mais votre guérison ne doit pas dépendre de cet objectif. Elle ne sera pas liée à leur arrestation. Ne perdez pas cela de vue.

Nous avions déjà eu cette conversation.

— J'aimerais vous croire, Doc, mais je suis convaincu que rien ne me rendrait plus heureux que de donner à ces deux salopards la correction qu'ils méritent.

— Et vous finiriez vos jours en prison. Est-ce vraiment ce que vous souhaitez ?

Je secouai la tête. Jusqu'à présent, ma vie entière était une prison. Après tout ce que j'avais vécu, pas question de me retrouver sous les verrous.

— Non. Je veux vivre. Je veux mener une existence normale. Je veux passer ma vie avec Jade.

— Alors, je crois qu'il est temps que nous évoquions autre chose.

— Laquelle ?

— Avez-vous songé à parler à Jade ? De ce qui vous est arrivé ?

Je plongeai les doigts dans ma tignasse. Bien sûr que j'y avais pensé. Mais l'avouer à Marjorie, et voir sa réaction, avait déjà été très difficile.

— Je ne sais pas. Mes frères et moi venons tout juste de mettre ma sœur au courant et ça ne s'est pas très bien passé.

— Qu'est-ce qui s'est mal passé ?

— Sa réaction…

— Vous voulez dire qu'elle ne vous a pas témoigné son soutien ?

— Non, rien de la sorte. Mais elle est anéantie, c'est bien ça le problème. La tristesse est devenue son quotidien et elle prend des gants avec moi, comme si elle ne savait pas quoi me dire, ni comment se conduire en ma présence. Exactement ce que je redoutais.

— C'est une réaction tout à fait normale. Elle va s'en remettre. Laissez-lui le temps.

— Mais je ne veux pas que Jade se comporte de la même façon, qu'elle ait pitié de moi… Non, Doc, je ne pourrais pas le supporter.

— Qu'est-ce qui vous pousse à croire que sa réaction serait identique ?

— Vous venez de dire que c'était une réaction normale.

— En effet. Mais Jade n'est pas votre petite sœur. Vous n'avez pas été son modèle ni son protecteur pendant toute son enfance. Marjorie vient de voir son frère, grand et fort, devenir brusquement…

— Stop. Je vous défends de dire « un objet de pitié ».

— Je n'en avais pas l'intention. J'allais dire qu'à ses yeux, vous êtes devenu encore plus fort. Et l'idée que vous ayez souffert lui est intolérable.

— Pourquoi Jade réagirait-elle différemment ?

— Oh, elle éprouvera un malaise similaire. Elle ne supportera pas l'idée qu'on vous ait fait du mal, parce qu'elle vous aime. Mais vous êtes son égal, pas son grand frère. C'est une relation différente.

— Ce que je ne veux surtout pas, c'est qu'elle ait pitié de moi.

— Alors, dites-le-lui. Elle est amoureuse de vous. Elle ne veut pas vous blesser, et si elle a conscience que vous seriez blessé par sa pitié, alors elle s'en abstiendra.

— Doc, est-ce que… je vous inspire de la pitié ?

— C'est une question difficile.

Elle soupira.

— Je suis navrée que vous ayez dû subir une telle torture. Mais c'est mon métier, Tallon. Vous n'êtes pas mon premier patient qui a vécu un traumatisme dans son enfance. Et si ça peut vous rassurer, vous n'êtes pas non plus mon cas le plus grave.

Étrangement, cela n'avait rien de réconfortant. L'idée que d'autres enfants aient pu subir de pires atrocités me rendait malade.

— Ces patients… Ceux qui ont vécu des expériences pires que la mienne, est-ce qu'ils ont guéri ? Est-ce qu'ils s'en sont sortis ?

— Deux d'entre eux, oui. Et ils ont très bien réussi leur vie. Mais il y en a eu une autre…

Je n'aimais pas la tournure que prenait cette discussion, mais c'était moi qui avais ouvert cette porte.

— Que lui est-il arrivé ?

Les yeux du docteur Carmichael se mirent à briller.

— Elle n'était pas assez forte. Elle s'est ôté la vie.

— Bon sang… Je suis désolé, Doc.

— C'est une expérience instructive pour un thérapeute de comprendre que l'on ne peut pas aider tout le monde, en dépit des efforts que l'on déploie. Si j'avais été parfaite, j'aurais peut-être réussi à la sauver. Ou peut-être qu'aucun thérapeute sur cette terre n'en était capable. Je ne le saurai jamais.

— Je suis vraiment navré.

Elle renifla.

— Cela fait partie de mon travail. Tout ne peut pas toujours se solder par un succès. Les médecins perdent des patients. Les hommes d'affaires n'obtiennent pas toujours les contrats qu'ils espèrent. Les avocats perdent des procès. Et les thérapeutes ne peuvent pas aider tout le monde.

— Mais quand même…

— Tout va bien, Tallon. J'ai accepté cette idée. Du mieux que je le peux, du moins. J'ai connu davantage de réussites que d'échecs.

— D'après vous, qu'est-ce qu'il adviendra de moi ?

— Je crois que vous allez vous en sortir. Sincèrement. Vous avez déjà fait beaucoup de progrès.

Je me massai les tempes.

— Bon, la boucle est bouclée. Il est temps de parler à Jade.

— Je le pense aussi.

— Et si c'est trop dur à encaisser pour elle ? Si elle me quitte ?

— J'en doute fort. Mais dans ce cas, vous sauriez qu'elle n'était pas celle que vous pensiez. Et il vaut mieux le découvrir avant de vous engager davantage.

— Elle m'a promis que peu importait ce que je lui révélerais, rien ne changerait ses sentiments pour moi. Qu'elle ne cesserait jamais de m'aimer.

— Alors, faites-lui confiance. Si vous voulez une vraie relation avec elle, vous allez devoir mettre votre âme à nu.

# Chapitre 27

## JADE

Tallon m'invita à dîner au ranch le vendredi soir. J'avais prévu d'aller voir ma mère, mais mon père m'assura que tout allait bien et me souhaita une bonne soirée. En outre, Marj se trouvait en ville pour son cours de cuisine et m'avait promis de passer à l'hôpital et de me faire un compte rendu détaillé de la visite.

J'avais donc accepté. Tallon et moi n'avions pas réussi à passer de vrais moments seuls cette semaine et j'en avais terriblement besoin.

Alors que je pénétrais dans la propriété, j'espérais avoir pris la bonne décision. J'étais déterminée à ne pas le presser pour obtenir des informations, mais j'étais impatiente qu'il se confie à moi pour pouvoir rappeler Wendy Madigan et avoir le fin mot de l'histoire.

Tallon et Roger m'accueillirent à la porte. J'embrassai Tallon sur la bouche et gratouillai Roger derrière les oreilles.

— Ça embaume.

Une odeur de thym et d'ail me chatouillait les narines.

— On se croirait dans un bistro français.

— Felicia nous a préparé des chateaubriands, des haricots verts et un gratin de pommes de terre.

— Fabuleux.

Il sourit.

— Et ne dis rien à Ryan, mais nous allons déguster un véritable vin français. Un château Lascombes d'un excellent millésime.

Je laissai échapper un petit rire.

— Motus et bouche cousue.

Il arqua un sourcil.

— J'espère que non. Car j'ai bien l'intention de faire bon usage de cette bouche plus tard dans la soirée.

Mon pouls s'accéléra et mon intimité palpita. Cela faisait tellement longtemps que nous n'avions pas passé plus de quelques minutes en tête à tête.

— Viens. Je vais te servir un verre de vin.

Je le suivis dans la cuisine.

— Nous allons de nouveau dîner dans ta chambre ?

Il secoua la tête.

— Non, ça ne s'est pas très bien passé la dernière fois et je ne veux pas tenter le diable. Nous dînerons dehors sur la terrasse.

La soirée était douce. Une brise légère nous enveloppa quand nous sortîmes. Tallon – ou probablement Felicia – avait dressé une ravissante petite table pour deux avec une nappe et des serviettes en tissu. Couverts en argent et porcelaine anglaise à la cendre d'os complétaient le décor.

— Waouh, magnifique.

— C'est le service de mariage de ma mère. Ça coûte une fortune, paraît-il, mais je n'y connais rien. On s'en sert très rarement, mais je voulais que cette soirée soit spéciale.

— Chaque soirée que nous passons ensemble est spéciale.

Je levai mon verre et pris une gorgée.

— Comment est le vin ?

Je laissai le nectar imprégner mes papilles et couler dans ma gorge, velouté exquis.

— Ne le répète pas à Ryan, mais il est extraordinaire.

— Sûrement parce que cette bouteille est presque aussi vieille que lui, répondit Tallon dans un rire.

— Un grand cru de Bordeaux. Je crois que c'est la première fois que je bois quelque chose comme ça.

— Tant que tu seras avec moi, yeux d'azur, tu auras tout ce qui se fait de mieux.

Il m'attira vers lui et me prit dans ses bras.

Il n'essaya pas de m'embrasser. Nous restâmes simplement enlacés pendant quelques instants suspendus.

Sa chaleur m'enveloppait et j'étais exactement à ma place. Avec cet homme. À ses côtés. Sa compagne pour la vie. Je le savais au plus profond de mon âme, et si je ne doutais pas de l'amour de Tallon, je n'étais pas encore sûre qu'il éprouve la même chose. Il avait tellement de démons à affronter avant que nous puissions réellement être ensemble.

Mais ce soir était le présent et je me refusais à gâcher le moment en m'inquiétant de la direction que prenait notre relation ou de ce qu'elle pourrait ne pas être. Ce soir, je voulais déguster un délicieux dîner en compagnie de l'homme que j'aimais. Et ensuite, qu'il m'emmène dans sa chambre et me fasse tout oublier.

Tallon insista pour que je prenne place à table avant de s'éclipser dans la cuisine. Quelques minutes plus tard, il revint chargé de deux assiettes fumantes garnies de succulente nourriture. Il me demanda de patienter encore un peu, puis apporta deux bols de salade, une baguette croustillante et du beurre de baratte.

Il se versa un verre de vin au lieu du bourbon qu'il affectionnait d'habitude et leva son verre.

— À nous, yeux d'azur.

Je suivis son exemple et trinquai avec lui.

— À nous.

Je pris encore une gorgée du nectar. Oui, je pourrais m'habituer à cette vie de luxe.

— Attaque, bébé. Il y en a encore plein.

Après une journée passée à enchaîner les audiences sans avoir eu le temps de déjeuner, je mourais de faim. Je coupai un morceau de filet, que je trempai dans la sauce.

Mon Dieu, c'était divin.

— J'espère que tu sais que c'est du bœuf du domaine Steel, dit Tallon avec un clin d'œil.

— Évidemment. Et c'est le meilleur, j'ai tout bon ?

Je pris une autre bouchée. La viande était délicieusement tendre. Et tellement savoureuse.

— Issu du bétail engraissé à l'herbe, yeux d'azur.

— Je ne savais pas que vous faisiez du bœuf d'herbe.

— C'est une de nos spécialités. Joe t'en parlerait mieux que moi. Pour une exploitation aussi importante que la nôtre, il est impossible d'élever uniquement des bovins au pâturage, mais leur viande est plus saine et elle a aussi meilleur goût, à mon sens. Même si tout ce que nous produisons est fantastique.

— Chaque fois que j'en ai mangé, la viande était excellente.

— Ce soir, je voulais ce qu'il y a de mieux. Du bœuf d'herbe parfait pour mon bébé.

— Et d'ailleurs, quand est-ce que tes fabuleuses pommes et pêches de l'ouest du Colorado vont être prêtes à déguster ?

— Je suis content que tu poses la question, yeux d'azur. Tout va très bien dans les vergers. Et Felicia t'a préparé une surprise pour le dessert.

— Oh, mon Dieu. Qu'est-ce que c'est ?

Il sourit.

— Tu verras.

La surprise s'avéra être une tarte aux pêches confectionnée avec les fabuleux fruits de Tallon. Je n'avais jamais rien mangé d'aussi bon. Il la servit avec un vin doux et léger qui se mariait parfaitement à leur suavité.

— Comment ai-je pu penser avoir goûté des pêches avant celles-ci ? dis-je en savourant ma dernière bouchée.

— Il n'y a qu'une chose au monde qui ait meilleur goût que mes pêches, yeux d'azur.

— Ah oui ? Quoi donc ?

— Toi.

Je sentis mon corps s'enflammer. Sous son regard de braise, j'avais l'impression que mes vêtements se consumaient. Ses yeux sombres, pleins de promesse et de passion. Personne ne m'avait jamais regardée comme Tallon.

Il se leva.

— Viens avec moi, yeux d'azur.

— Mais tu n'as pas fini ta tarte.

— J'ai envie d'autre chose, d'encore meilleur.

S'approchant de moi, il me mit debout et me souleva dans ses bras puissants, avant de descendre les marches qui menaient au jardin.

— On ne va pas dans ta chambre ?

— J'ai pensé que nous commencerions ici. La soirée est tellement belle.

Quand nous arrivâmes en contrebas de la terrasse, je remarquai quelque chose que la balustrade avait dissimulé : un matelas gonflable recouvert d'une couette avait été installé sur la pelouse. Il nous avait fait un lit. C'était le geste le plus adorable et le plus sexy que j'aie jamais vu. Je laissai échapper un soupir et me sentis fondre.

— Tallon, c'est tout simplement magique.

— Rien n'est trop beau pour toi, yeux d'azur.

Une autre bouteille de vin et deux verres étaient posés à côté de la couche improvisée, accompagnés d'un panier pique-nique. Que pouvait-il contenir ? J'étais totalement rassasiée après notre dîner et je n'aurais pas pu avaler une bouchée de plus. Sauf de la chair succulente de Tallon.

Il me prit par la main et me guida vers le matelas.

— Je veux te dévêtir, yeux d'azur. Je veux retirer tes vêtements un à un jusqu'à ce que tu sois nue et offerte devant moi.

— Mais nous sommes à l'extérieur, exposés à la vue de tous.

— Nous sommes dans ma propriété. Personne ne peut nous voir.

— Et Ryan ? Dans le pavillon ?

— D'abord, il est à sept cents mètres. Et puis je l'ai prévenu que s'il osait s'approcher de cette maison ce soir, je lui botterais les fesses.

Je ne pus m'empêcher de sourire.

Il posa une main sur ma joue, la caressant de la pulpe du pouce.

— Tu es tellement belle, Jade. Je vais te déshabiller lentement, je vais savourer chaque parcelle de toi au fur et à mesure que je te dénuderai.

Je soupirai dans sa paume.

J'étais venue directement du travail et je portais une robe stretch près du corps. Mais rien n'allait le décourager. Il commença par me dégager les épaules, faisant glisser la robe le long de mes bras, puis par-dessus ma poitrine généreuse, mon ventre et mes hanches. La robe ne forma bientôt plus qu'une flaque vert sapin à mes pieds. Je me tenais maintenant devant lui dans mon soutien-gorge et ma culotte roses, et mes sandales marron à semelles compensées, regrettant secrètement de ne pas avoir choisi des talons aiguilles en cuir verni noir. Tellement plus sexy. Cela dit, j'en aurais bavé toute la journée.

Il me dévorait des yeux, le regard enflammé.

— Tellement belle, répéta-t-il.

Il dégrafa mon soutien-gorge et me le retira, l'abandonnant sur le gazon. Mes seins s'épanouirent, tétons déjà dressés pour lui.

Tallon passa la langue sur ses lèvres.

Et mon corps s'enfiévra.

Il fit descendre ma petite culotte tout le long de mes jambes, et quand elle fut autour de mes chevilles, je levai un pied, puis l'autre et m'en débarrassai.

— Allonge-toi, yeux d'azur.

J'obéis et il libéra ensuite mes pieds de mes sandales. Mes orteils étaient peints d'un vernis caramel sans fioriture.

— Je ne t'ai jamais dit à quel point tes pieds étaient beaux, bébé.

Mes pieds étaient très ordinaires. Certainement pas ce que j'avais de mieux, ni de pire. Mais voilà que cet homme splendide leur rendait les honneurs avec ses mains. Il les massa doucement, puis plus vigoureusement. Je laissai échapper un soupir. La sensation était divine. Il m'embrassa les orteils un à un tout en poursuivant son massage. Puis ses mains remontèrent sur mes mollets, pétrissant mes muscles fatigués jusqu'à mes cuisses.

— Retourne-toi, bébé.

J'obtempérai et il continua de me masser les mollets et les cuisses, s'attardant à l'arrière de mes genoux, puis sur mes fesses.

Avait-il conscience de ce qu'il faisait ? Il était dans la même position quand que je lui avais prodigué un massage et qu'il avait pété les plombs la première fois. Alors que je…

Alors que je lui caressais l'anus.

Mon Dieu.

Il avait dit que quelque chose d'horrible lui était arrivé.

Tallon avait-il été… violé ? Vingt-cinq ans auparavant ? Seigneur, il aurait eu seulement dix ans.

Les larmes me montèrent aux yeux, mais il me massait toujours, me soufflant des mots doux, me répétant combien mon corps était beau.

Je devais lui donner ça. Accepter qu'il me fasse l'amour comme il le désirait, ici, dehors. Je ne pouvais pas laisser mes craintes à propos de ce qui avait pu lui arriver par le passé gâcher cette soirée.

Il me parlerait quand il serait prêt.

Il me massait maintenant le dos et quand il atteignit mes épaules, je ne pus retenir un grognement de plaisir. Dans mon service ou au tribunal, je passais la semaine assise derrière un bureau et mes épaules s'en ressentaient. Je devrais sortir davantage et faire du sport.

La proximité de son corps m'enflammait la peau et me donnait des frissons, mais ce massage parlait de bien-être et d'amour plus que de passion et de désir. Il s'occupait de moi, pour me détendre. Et je ne l'en aimais que davantage.

J'étais allongée sur le ventre, il n'avait pas accès à mes tétons, et il avait évité mon sexe quand ses mains étaient remontées sur mon corps. Avait-il l'intention de me faire l'amour ce soir ? C'était ce que j'avais cru comprendre. Il avait dit qu'il voulait goûter quelque chose de meilleur encore que la tarte aux pêches.

Quand il eut terminé de me masser les épaules, il me pétrit la nuque avant d'approcher son visage, de sorte que ses boucles épaisses me caressaient le cou et la joue.

— Je ne pourrai jamais t'expliquer tout ce que tu signifies pour moi, yeux d'azur, murmura-t-il dans mes cheveux. Parfois, lorsque je me réveille, je n'en reviens pas que quelqu'un comme toi puisse exister sur cette terre. Ça me donne de l'espoir, tu comprends ?

J'étais en peine de mots pour lui répondre. J'étais une fille ordinaire. Des filles comme moi, il en existait des dizaines. Je n'avais rien d'exceptionnel.

Comme s'il lisait mes pensées, il reprit :

— Tu es exceptionnelle, yeux d'azur. Tu m'as changé. Grâce à toi, je vois les choses autrement. Tu m'as donné envie de devenir meilleur. Tu m'as donné envie de vivre.

Envie de vivre ? Il ne voulait pas vivre ? L'Irak… Il avait voulu mourir en Irak…

Toutes ces pensées se bousculaient dans ma tête, un magma de réflexions que je n'arrivais pas à démêler, surtout dans l'état de détente absolue dans lequel il m'avait plongée.

— Je vais devenir celui que tu mérites, Jade. C'est une promesse.

Il effleura mon cou de ses lèvres.

— C'est une promesse que je te fais.

Je me retournai alors et croisai son regard.

— Je ne t'ai jamais demandé d'être autre chose que ce que tu es, Tallon. Tu es tout pour moi.

C'était la vérité.

— Je veux te faire l'amour, bébé. Je veux te faire l'amour ici, dans cette nature splendide. Je veux que nous fassions l'amour au soleil couchant, avec les Rocheuses en toile de fond. Et puis, quand la nuit sera tombée et que les étoiles apparaîtront, je veux te dire quelque chose.

— Je…

Je refermai la bouche.

— Quoi ?

Je secouai la tête.

— Rien.

Je m'apprêtais à lui dire qu'il pouvait le faire maintenant. Mais il devait y aller à son rythme. Que ce ne soit pas une épreuve pour lui. Il avait peut-être besoin d'être avec moi, d'évacuer sa tension ou tout bonnement besoin d'éprouver l'amour que nous partagions. Quoi qu'il en soit, je ne voulais pas être un obstacle. Je plongeai mon regard dans ses yeux bruns brûlants.

— S'il te plaît. S'il te plaît, Tallon. Fais-moi l'amour.

# Chapitre 28

Elle était si belle, allongée là, ses yeux bleu métallique tellement confiants. Je la prendrais sauvagement plus tard, mais d'abord, je voulais lui faire l'amour lentement, avec tendresse. Ce n'était pas notre habitude, mais cela avait ses qualités. Au lit, j'aimais la dominer et elle aimait se soumettre à mes désirs. Mais cette fois, ce serait différent. Nous allions unir nos corps d'égal à égal, nous livrant à l'amour qui existait entre nous.

Elle me regarda me déshabiller de ses yeux d'azur argentés. Lorsque je laissais tomber mon tee-shirt dans l'herbe tendre, elle retint sa respiration. Je souris. J'adorais voir que je l'attirais, que mon corps lui plaisait.

— Tu es vraiment magnifique, Tallon, dit-elle.

Ses compliments ne me gênaient plus. J'étais simplement content de savoir que je la rendais heureuse. Je retirai mes bottes et mes chaussettes, puis déboutonnai mon jean et le fis glisser sur mes hanches en même temps que mon caleçon. Une fois nu, je m'assis sur le lit. Elle était couchée sur le dos, les jambes légèrement écartées. Ses lèvres roses étaient brillantes, le parfum de son sexe flottait jusqu'à moi. J'inspirai. Encore plus délicieux que la tarte aux pêches.

Elle mouillait. Je le devinais à ses petits mamelons tendus, à ses yeux d'azur voilés. Elle mouillait, et elle était prête à me recevoir.

Je me positionnai au-dessus d'elle et la pénétrai lentement.

Ce doux soupir qui n'appartenait qu'à elle s'échappa de sa gorge et je fermai les yeux, savourant ce son que j'aimais tellement.

Nous ne nous étions pas embrassés. Je n'avais pas sucé ni pincé ses tétons. Elle n'avait pas pris ma queue dans sa bouche. Je m'étais contenté de la masser, et pourtant tous les deux nous étions prêts.

Pendant quelques secondes, je demeurai immobile, plongé dans sa chaleur jusqu'à la garde. Je me sentais bien, à ma place. Elle me complétait. À cause de mon passé, j'avais toujours su qu'il me manquait quelque chose. Jamais je n'avais imaginé redevenir entier. Mais Jade comblait ce vide en moi. Elle me donnait envie d'intégrité.

Je me retirai lentement, puis m'abîmai de nouveau en elle. Elle poussa un soupir.

— C'est bon, bébé ?

— Oh, oui, murmura-t-elle. C'est si bon de te sentir en moi.

Je continuai à coulisser doucement en elle. Nos corps étaient unis, guidés non pas par la passion ou le désir, mais par notre amour. Mes assauts étaient tendres. Nous nous regardions dans les yeux, et à aucun moment elle ne se détourna. Lorsqu'un sourire étira ses lèvres, je fermai les paupières quelques instants, laissant chacun de mes pores s'imprégner d'amour.

Je savourai enfin ce profond sentiment de plénitude. Puis je rouvris les yeux et m'enfouis une dernière fois, tout au fond d'elle.

Elle jouit et j'éjaculai au même moment, tous deux haletant, gémissant, nous délectant de notre amour.

Lorsque mon orgasme finit par refluer, je roulai sur le dos. Elle se pelotonna dans mes bras.

— Je t'aime tellement, Tallon, dit-elle.

J'avais les yeux fermés. Mon corps était repu.

— Je t'aime aussi, yeux d'azur.

Nous restâmes allongés là un moment tandis que le soleil sombrait derrière l'horizon. Le ciel se colora de rose, d'orange et de fuchsia, puis vira au gris argenté, et la première étoile scintilla dans la nuit.

C'était tellement facile d'être avec Jade. D'exister. Sans avoir besoin de parler, de faire l'amour ou quoi que ce soit d'autre. Nous pouvions simplement être ensemble – être au monde. Tout me paraissait si juste.

Mais le moment était venu.

Si je voulais faire en sorte que ma vie avec Jade tienne la distance, je devais lui révéler tous mes secrets. Malgré mes réticences à lui imposer ce fardeau, je n'avais plus le choix. Et je devais avoir la certitude qu'elle ne se détournerait pas de moi.

— Ça te dit qu'on s'asseye un peu dans le Jacuzzi ? lui proposai-je.

Elle laissa échapper un bâillement.

— C'est tentant, mais je risque de m'endormir.

— Bien vu, répondis-je. On va rester ici. Je te sers quelque chose à boire ?

— Peut-être un autre verre de vin. Ou de l'eau glacée, ça me va aussi.

— Ça marche.

Je lui apporterais les deux. Je me levai pour aller chercher deux verres d'eau glacée dans la cuisine, nu comme un ver. Je remplis ensuite deux verres de vin et sortis un saladier de fraises du panier posé près du lit.

— Tu es un ange, dit-elle en prenant d'abord une longue gorgée d'eau avant de passer au vin.

— Une fraise ?

J'en portai une à sa bouche, qu'elle croqua délicatement avant de se lécher les lèvres.

— Hmm.

— Jade ?

— Oui ?

J'avais les nerfs à vif. *Rien ne t'oblige à faire ça maintenant, Tallon. Tu peux le reporter.* Non. Il le fallait. J'y étais presque. Je me raclai la gorge.

— Tu te souviens que je t'ai dit qu'il m'est arrivé quelque chose lorsque j'étais plus jeune ? Quelque chose d'horrible ?

Posant son verre sur le plateau, elle se blottit contre moi, la tête sur mon épaule.

— J'écouterai tout ce que tu as à me dire, Tallon. Si tu te sens prêt. Mais je tiens à ce que tu gardes une chose à l'esprit.

— Quoi ?

— Rien ne changera mes sentiments pour toi. Je t'aimerai toujours autant, peu importe ce que tu t'apprêtes à me dire.

À cet instant, pris au piège de son regard bleu d'acier, je la crus. J'avais foi en elle.

— C'est arrivé il y a vingt-cinq ans. J'avais dix ans.

★ ★ ★

Elle resta silencieuse et me laissa parler, sans jamais m'interrompre ni poser de questions. Elle attendait que j'aie fini mon récit. Je l'entendis renifler et sentis ses larmes couler sur mon épaule, mais elle ne dit rien et je continuai.

Les mots sortaient de ma bouche machinalement, vides de toute émotion. En vérité, c'était intentionnel. Si j'avais laissé mes sentiments s'exprimer, je n'aurais pas pu aller jusqu'au bout. Lorsque j'eus enfin terminé, elle s'écarta de moi et se redressa.

Et je vis ce que je redoutais le plus : de la pitié dans ses yeux d'azur argentés.

La colère me saisit.

— Jade, je ne t'ai pas raconté ça pour que tu aies pitié de moi.

— C'est ce que tu penses ? demanda-t-elle en se mordant la lèvre.

— Je connais ce regard. J'y suis habitué. Je le vois sur tous les visages de ceux qui connaissent la vérité.

— Tallon, relève-toi. Relève-toi et regarde-moi.

J'obéis et me redressai en position assise sur le matelas gonflable, face à elle. Elle secoua la tête.

— Non, Tallon, regarde-moi *pour de bon*.

Je ne comprenais pas ce qu'elle voulait.

— C'est ce que je fais. Je te trouve très belle. Mais je déteste que tu pleures à cause de moi.

Elle me saisit par les épaules, ce qu'elle n'avait jamais fait auparavant. Puis elle posa les deux mains sur mes joues et appuya son front contre le mien.

— Bon sang, Tallon. Ce que tu vois dans mes yeux n'est pas de la pitié. Mes larmes sont pour un petit garçon de dix ans qui a vécu l'enfer et en est revenu. Ce sont des larmes de tristesse pour ce qu'il a enduré, et des larmes de joie pour l'homme qu'il est devenu – l'homme que j'aime plus que tout au monde.

— J'avais si peur de te le dire…

— Pourquoi ?

— Je pensais que tu…

Je ravalai la boule qui m'obstruait la gorge.

— Je pensais que tu me quitterais.

Elle eut un mouvement de recul.

— Comment as-tu pu croire une chose pareille ? Tu as donc une si piètre opinion de moi ? Tu ne crois pas en l'amour que j'ai pour toi ?

Je poussai un soupir.

— Au début, peut-être pas. Mais maintenant j'y crois, Jade. Je crois à l'amour que tu me portes, à mon amour pour toi. C'est grâce à toi que je…

— Quoi ?

Je pris une inspiration que je relâchai lentement, me préparant à prononcer les mots que j'avais besoin de lui dire.

— Tu sais comme j'ai essayé de me faire descendre, quand j'étais en Irak ?

— Oui.

— Quand je t'ai rencontrée et que j'ai pris conscience qu'il existait une femme comme toi dans ce monde, j'ai été vraiment très heureux d'avoir survécu. Je voulais vivre. Pour toi. Pour Joe, Ryan et Marj. Et surtout, pour moi, yeux d'azur. Tu m'as aidé à comprendre que ma vie avait encore de la valeur, que ça valait la peine d'essayer de surmonter toutes les horreurs que j'ai vécues. Parce que tu mérites ce qu'il y a de mieux. Un homme qui ne soit pas brisé. Et je te promets de guérir, yeux d'azur, même s'il me faut une vie entière pour y parvenir. Je vais guérir pour devenir l'homme que tu mérites.

# Chapitre 29

Mon cœur se disloquait. Tallon ne voulait pas de ma pitié. Il l'avait clairement exprimé. À présent, tout ce qu'il avait pu dire, tout ce qu'il avait pu faire depuis notre première rencontre s'éclairait. Mon beau Tallon. Je souffrais pour le petit garçon qu'il avait été, à qui l'on avait volé son innocence d'une manière si cruelle et violente.

Mais il était là. Et il était à moi. Et je l'aiderais à surmonter tout ça.

— À quoi penses-tu, yeux d'azur ?

— Pour être honnête, j'ai beaucoup de questions. Pas seulement à propos de ce que tu as vécu, mais sur ta vie, ta thérapie. Mais je ne veux pas te presser. Je veux que tu me parles de tout ça quand tu seras prêt.

— Je t'ai tout dit. Tout ce dont je me souviens. J'exhume tout le temps de nouveaux détails en thérapie, apparemment. Mais je suis surpris que tu n'aies pas posé de questions sur deux ou trois trucs.

— Quoi donc ?

— Le tatouage du phénix. Et le petit orteil manquant.

Je suffoquai. Le récit de Tallon m'avait tellement bouleversée que je n'avais pas encore fait le lien. Pas étonnant qu'il s'intéresse tellement à Nico Kostas et à Larry Wade. Il était persuadé que ces hommes étaient deux de ses tortionnaires.

— Oh, Tallon, mon Dieu. Je suis tellement désolée.

— Comment ça ?

— J'ai failli me faire tatouer le même dessin.

Je fondis en larmes.

— Oh mon Dieu, et si Marjorie ne m'avait pas téléphoné ce soir-là ? Si j'avais eu ce truc incrusté sous la peau de manière permanente ? Oh, mon Dieu. Mon Dieu.

Je pleurais à chaudes larmes et je reniflai bientôt, secouée de sanglots. Je me jetai sur la couette, versant toutes les larmes de mon corps.

Quel effet ce tatouage aurait-il eu sur Tallon ? Quelles en auraient été les conséquences ?

Je ne sentis pas ses mains solides sur mon corps. Tallon ne m'offrit pas son réconfort. Je ne l'attendais pas de toute façon. Je m'apitoyais seulement sur moi-même, et rien d'autre. Il fallait que je me ressaisisse. Ce n'était pas moi qui étais à plaindre. C'était Tallon qui avait souffert. Le tatouage que je n'avais pas pu faire, Dieu merci, n'était pas le sujet. Comment pouvais-je faire preuve d'un tel égoïsme ?

Je ravalai mon dernier sanglot et me redressai.

— Pardonne-moi, Tallon. Je ne sais pas ce qui m'a pris.

— Ne t'en fais pas, yeux d'azur. Tu peux pleurer pour moi. Pendant longtemps, j'ai cru que les larmes étaient une hérésie. Je pensais qu'elles m'affaiblissaient. Mais j'ai versé mon propre lot de larmes depuis cette époque – pendant mes séances de thérapie, et aussi quand j'étais seul.

— Tu as dit que tu ne voulais pas de ma pitié.

— Je n'en veux pas. Mais si ces larmes viennent de ton amour pour moi, comment pourrais-je les haïr ? Je t'aime, et je suis désolé que tu aies à souffrir à cause de ce qui m'est arrivé.

— Oh, Tallon, tu n'as aucune raison d'être désolé. C'est moi qui le suis. Heureusement que je ne me suis pas fait tatouer.

— Tu sais, j'ai réfléchi, yeux d'azur. Peut-être que tu *devrais* te faire tatouer. Et moi aussi. Nous pourrions peut-être choisir une image ensemble.

Je reniflai.

— Ce serait cool, Tallon. Mais je sais que les tatouages, ce n'est pas ton truc.

— Mais mon truc, c'est toi, yeux d'azur. C'est important pour toi de te faire tatouer et je ne peux pas laisser ce qui m'est arrivé régir ma vie. Me faire tatouer serait peut-être un bon moyen de me prouver que ce n'est pas le cas.

— On ne va pas faire ça sur un coup de tête, d'accord ? On a tout le temps. Peu importe que nous nous fassions tatouer demain ou dans dix ans, ou même jamais. Ce qui compte, c'est que tu es là, sur la voie de la guérison, que je suis là, et que je t'aime, et que je veux être avec toi plus que tout au monde.

Puis Tallon se tourna vers moi et nos regards se verrouillèrent, ses yeux sombres brillants de larmes.

Je voyais qu'il s'efforçait de les refouler. Je lui effleurai le visage pour en effacer une.

— Ça va, Tallon. Tout ira bien.

Et c'est alors que cet homme, cet homme stupéfiant, si fort et si beau, à qui l'on avait arraché son innocence à un âge si tendre, et qui était un héros aux yeux de tant de gens, cet homme-là pleura dans mes bras.

★ ★ ★

Plus tard, allongée dans ma propre chambre au ranch, je ne trouvais pas le sommeil. J'aurais tellement voulu dormir au côté de Tallon, mais je ne le lui avais pas demandé. Il n'y était pas encore prêt, et j'avais beau savoir au fond de mon cœur et de mon âme qu'il ne me ferait jamais de mal, lui-même n'en était pas certain. Et il était hors de question que je le bouscule.

Mon cœur continuait de saigner. Ce qui s'était réellement passé, je ne pouvais pas l'imaginer. Je savais que pour me ménager, il avait passé beaucoup de choses sous silence. J'aurais voulu l'assurer que ce n'était pas nécessaire, que j'étais capable d'encaisser, mais je m'étais juré de ne pas l'interrompre, de le laisser me dire ce qu'il voulait, de la manière qui lui convenait

Je dus finir par m'endormir. Lorsque j'ouvris les yeux, la lumière du jour entrait à flots dans ma chambre. Je me levai et sautai dans la douche. Après m'être lavée et séchée, je me glissai furtivement dans la chambre de Marj pour lui emprunter de nouveau un peignoir. Elle était restée en ville pour son cours de cuisine d'aujourd'hui.

Je mis ensuite la cafetière en route avant de remonter sans bruit le couloir menant à la chambre de Tallon située dans l'autre aile de la maison. J'ouvris la porte lentement et silencieusement, traversai le petit salon et entrai dans la chambre. Il dormait sur le dos dans sa position habituelle, les bras reposant sur le front. Roger, étendu à ses pieds, releva la tête à mon arrivée.

— Coucou, mon bonhomme, murmurai-je.

Le chien haleta d'excitation.

Ne voulant pas réveiller Tallon, qui devait être émotionnellement épuisé, je décidai de ressortir sans bruit.

— Viens, mon bonhomme. Tu as besoin de sortir ?

Le petit chien sauta du lit et me suivit. Une fois dans le salon, une voix m'arrêta.

— Yeux d'azur ?

Je revins dans la chambre. Les yeux sombres de Tallon étaient ouverts.

— Je suis vraiment désolée. Je ne voulais pas te réveiller. J'ai juste pensé que Roger devait avoir besoin de sortir.

— Très bien. Oui, emmène-le dehors. Et puis reviens, je veux te tenir dans mes bras.

Je souris. Le programme était à mon goût. Je laissai filer Roger par la porte de service, remplis un bol d'eau fraîche pour lui, que je posai sur la terrasse, puis allai retrouver Tallon.

— Tu as beaucoup trop de vêtements sur toi, dit-il d'une voix endormie.

— C'est un vieux peignoir de Marj. Je n'ai plus de vêtements ici, tu te souviens ? Et je ne voulais pas remettre la robe verte que je portais hier soir.

— Tu étais canon dans cette robe.

Le rouge me monta aux joues.

— Je suis contente qu'elle t'ait plu.

— Je te préfère sans.

Cette fois-ci, la chaleur gagna tout mon corps.

— Viens t'asseoir ici avec moi.

Je m'assis sur le lit et il s'empara de ma main.

— Est-ce que j'ai bien fait ? demanda-t-il. De tout te raconter ? Je hochai la tête.

— C'est bien que je sois au courant. Je sais que ça a été difficile pour toi, et pour moi de l'entendre. Mais je te comprends tellement mieux, maintenant. Je t'aime, Tallon. Je veux te comprendre.

— Tu es sûre que ça ne t'a pas dégoûtée de moi ?

— Oh mon Dieu, mais pourquoi ? Rien de tout ça n'était ta faute. Si la même chose m'était arrivée, tes sentiments pour moi changeraient-ils ?

Il secoua la tête.

— Non, bien sûr que non. Mais c'est différent quand ça arrive à un garçon.

— C'est seulement moins courant. Ça ne veut pas dire que ce n'est pas tout aussi traumatisant pour un garçon – et même sans doute davantage.

— Je ne le souhaite à personne, vivant ou mort, c'est certain. Sauf peut-être aux trois enfoirés qui m'ont fait ça.

— Je ne peux pas te le reprocher.

Je lui caressai la main.

— Et nous les retrouverons peut-être. Mais tu sais, Tallon, ce n'est pas parce que Nico Kostas a le même tatouage que celui dont tu te souviens et qu'il manque un orteil à Larry Wade que tu as retrouvé deux des coupables.

Son corps se raidit et il se figea. Merde. J'aurais mieux fait de me taire.

— Mais nous ne sommes pas obligés d'en parler maintenant, ajoutai-je, espérant désamorcer la situation. Que dirais-tu d'un petit-déjeuner ? Je peux te faire des œufs brouillés. Et des toasts. Mes compétences s'arrêtent là.

— Ça ne me dit rien pour le moment, yeux d'azur.

J'eus certainement l'air inquiet, car il ajouta :

— Je vais bien. Juste crevé. Laisse-moi dormir encore quelques heures, d'accord ?

Je lui caressai la joue.

— J'aimerais me blottir contre toi.

— Je sais, bébé. Un jour, je te le promets.

Je me penchai sur lui, effleurant ses lèvres des miennes.

— Je t'aime, Tallon.

— Je t'aime aussi, yeux d'azur.

Je quittai la pièce, refermant doucement la porte, et retournai dans la cuisine pour faire rentrer Roger, à qui je donnai des croquettes surmontées d'un œuf cru. Après m'être versé une tasse de café, je me préparai un toast et des œufs brouillés, mais une fois installée, je me rendis compte que je n'avais finalement pas très faim. Je ne pris qu'une bouchée de pain et touchai à peine à mes œufs, mais je vidai ma tasse de café et la remplis à nouveau.

Wendy Madigan m'en voudrait-elle si je l'appelais un samedi matin ? Visiblement, elle avait de l'affection pour les Steel et elle m'avait dit de la rappeler une fois que Tallon m'aurait tout raconté. Je n'avais pas alors la moindre idée de ce dont il s'agissait, mais aujourd'hui je le savais et j'avais de nombreuses questions à lui poser.

Je débarrassai la table, me versai une troisième tasse de café et l'emportai dans ma chambre. Mon téléphone était en charge sur la table de nuit. Il était maintenant 10 heures, ce qui n'avait rien de matinal. Et puis merde ! J'étais sur des charbons ardents, impatiente de savoir ce qu'elle pourrait m'apprendre.

Le cœur battant, je composai son numéro.

— Bonjour Jade, m'accueillit sa voix à l'autre bout du fil.

— Bonjour, Wendy. J'espère que ça ne vous dérange pas que je vous appelle un samedi.

Elle poussa un soupir.

— Non, j'attendais votre appel. Et je ne suis pas surprise que vous m'appeliez en dehors de vos heures de travail.

Qu'entendait-elle par là ? Je n'osai pas lui poser la question. J'en avais déjà d'autres pour elle.

— J'ai eu une longue conversation avec Tallon la nuit dernière. Il m'a tout raconté.

— Que vous a-t-il dit exactement ??

S'attendait-elle vraiment à ce que je lui rapporte notre discussion par le menu ? L'entendre de la bouche de Tallon avait été une telle épreuve et je ne me sentais pas en droit d'entrer dans les détails.

— Wendy…

— Il faut que je le sache, Jade, avant de pouvoir vous apprendre quoi que ce soit d'autre.

— Très bien, acceptai-je dans un soupir. Il m'a raconté ce qui lui est arrivé quand il avait dix ans. Qu'il a été kidnappé par deux hommes cagoulés et retenu captif pendant près de deux mois par trois inconnus. Il m'a dit ce qu'ils lui avaient fait.

Je refoulai mon envie de vomir.

— Et il m'a raconté comment il avait fini par s'enfuir.

— Je vois.

Un silence s'ensuivit, qui me parut durer un temps infini, mais seulement une minute ou deux avaient dû s'écouler.

— Wendy ?

— Je suis toujours là. Je n'ai pas parlé de ces choses depuis… eh bien… vingt-cinq ans.

— Tallon suit une thérapie, Wendy. Il va mieux, mais je crois que ça l'aiderait de connaître l'identité de ses agresseurs. Pour qu'ils puissent être traduits en justice. Savez-vous qui ils sont ?

— Pas tous.

Mon Dieu. Mon cœur battait la chamade. Cela signifiait qu'elle connaissait l'identité d'au moins l'un d'entre eux. Elle pouvait me la révéler. Je pourrais le répéter à Tallon. Nous pourrions le retrouver. Nous pourrions le mettre en prison.

— Oh mon Dieu. Qui étaient-ils ?

— Avant que je vous en raconte davantage, dit-elle, il est important que vous compreniez un certain nombre de choses.

— Je suis tout ouïe.

— Vous aviez raison en ce qui concerne Larry Wade et Daphne Steel. Ils avaient le même père. Larry est l'aîné de Daphne de cinq ans. Ils n'ont pas été élevés ensemble. Larry vivait avec sa mère. Mais ils se connaissaient.

— Pourquoi les Steel ont-ils voulu dissimuler ce lien de parenté ? Quelle importance cela pouvait-il avoir ?

— Parce que Larry était malade. C'était l'un des trois hommes qui ont retenu Tallon captif.

Mon cœur s'arrêta presque et mon ventre se noua. Le dégoût et l'horreur m'envahirent. Je l'avais toujours trouvé faux et sans aucune morale, mais ça…

Mon Dieu. Tallon avait raison.

— Jade ?

Je m'éclaircis la voix.

— Oui. Ça va.

— Je suis sûre que c'est une surprise pour vous.

— Non, pas autant qu'on pourrait le croire. Tallon s'était déjà mis en tête que Larry était l'un de ses ravisseurs. Je vais pouvoir lui dire qu'il ne s'était pas trompé.

— Jade…

— Ce que je ne comprends pas, Wendy, c'est pourquoi il n'a pas été arrêté il y a vingt-cinq ans ? Sa place est en prison.

— C'est une longue histoire. Je peux vous en donner les grandes lignes maintenant. Nous devrons nous rencontrer, peut-être avec Tallon, pour que je vous expose tous les détails.

— Oh non. Je veux que vous me racontiez tout maintenant. Vous avez promis.

— Je le ferai, mais pour l'instant, je ne peux vous dire que l'essentiel. Il y a bien longtemps, j'ai fait la promesse de ne jamais révéler quoi que ce soit de cette histoire, sauf à Tallon lui-même quand le moment serait venu.

— Mais qu'est-ce que ça veut dire ? Quand le moment sera venu ? Ce malheureux a vécu l'enfer. Ça fait vingt-cinq ans qu'il traîne ça comme un boulet et il commence tout juste à recevoir l'aide dont il a besoin.

— C'était à Tallon de prendre la décision de se faire aider.

— Ça, c'est du grand n'importe quoi ! Il aurait dû être aidé depuis longtemps. Ses parents auraient dû l'aider, merde !

— Calmez-vous, Jade. Je suis assez d'accord avec vous. J'aimais Brad passionnément, mais je n'étais pas toujours d'accord avec tout ce qu'il faisait. Il avait pourtant ses raisons. À commencer par sa femme, qui était folle à lier.

— Quoi ? Êtes-vous en train de dire que la mère de Tallon souffrait d'une pathologie mentale ?

— Elle n'a jamais été diagnostiquée, mais pour ce que j'en ai vu, je dirais qu'elle souffrait sans doute de bipolarité et d'instabilité émotionnelle. Ou d'un trouble de la personnalité narcissique.

Je n'étais pas très versée en psychologie mais je savais qu'un double diagnostic était synonyme d'ennuis.

— Pourquoi n'était-elle pas suivie ? Elle ne se serait peut-être pas suicidée.

— Brad a essayé. Mais elle s'y refusait. C'était une femme très perturbée, Jade. Elle adorait pourtant ses fils. Je pense vraiment qu'elle les aimait. Sa fille en revanche – je ne crois pas qu'elle lui était vraiment attachée. Après tout, elle s'est donné la mort alors que Marjorie avait à peine deux ans.

— Peut-être s'était-elle convaincue que Marjorie ne survivrait pas, parce que c'était une grande prématurée. Et elle n'a pas été capable de s'adapter.

Je ne savais pas trop ce que je disais. Je balançais ce qui me passait par la tête.

— Vous avez peut-être raison. Je n'en sais rien, vraiment, et je ne peux pas conjecturer. Daphne Steel était… Bon, je ne vais pas y aller par quatre chemins. Elle était sérieusement dérangée.

— D'accord, mais rien de tout ça ne m'explique pourquoi ils n'ont pas dénoncé Larry à la police.

— Une partie de l'explication réside dans le fait qu'il était le frère de Daphne. Son père l'a suppliée de ne pas livrer Larry à la police. Il disait qu'il était malade, qu'il avait besoin d'aide et que la prison le tuerait. Brad ne voulait rien entendre, mais Daphne… Elle n'était pas proche de Larry. Je vous l'ai dit, ils n'ont pas été élevés ensemble. Mais elle adorait son père. Elle était l'archétype de la fifille à son papa. Alors elle a hésité. Mais en définitive, Brad et elle ont convenu qu'ils devaient livrer Larry à la police.

— Pourquoi est-il resté libre, alors ?

— Le lendemain, avant que la police vienne l'arrêter, Larry a été hospitalisé. Il avait été passé à tabac, très certainement par les deux autres hommes qui avaient enlevé Tallon. Larry a failli y rester, mais il a toujours refusé de révéler leur identité.

— Pourquoi auraient-ils voulu lui régler son compte ?

— Parce que, Jade, c'est Larry qui a aidé Tallon à s'évader.

# Chapitre 30

## TALLON

Les rêves étaient de retour. Je me retrouvais encore en train de fouiller les alentours de la maison des Walker, mais ce n'était pas Ryan qui marchait à côté de moi, agrippé à ma main. C'était Jade. Jade, qui me regardait de ses yeux d'azur innocents, qui comptait sur moi pour la protéger.

Mais lorsque les hommes cagoulés surgirent et qu'ils s'emparèrent d'elle, j'étais incapable de les arrêter. Tandis qu'ils l'entraînaient loin de moi, elle ne cessait de hurler : « Tallon, aide-moi ! Au secours ! Au secours ! » Puis elle disparaissait dans le cabanon délabré.

Je me précipitais à sa rescousse, mais mes pieds étaient pris dans la boue. Je m'enfonçais comme dans des sables mouvants et, tout autour de moi, des bras et des jambes désincarnés jaillissaient de la boue pour me narguer.

— À l'aide ! À l'aide ! hurlais-je. Je m'enfonce !

Une tête remonta depuis l'abîme, me riant au nez.

— Tu n'as pas pu m'aider, Tallon. Je suis mort. Tu n'es pas arrivé à temps. Et maintenant, c'est ton tour.

Je considérais les yeux sans vie de Luke Walker.

— Non !

Et soudain, j'étais submergé.

Je retenais mon souffle, aussi longtemps que possible, mais j'étais bientôt contraint de respirer. La boue, la terre et la vase envahissaient ma bouche, mon nez…

C'était la fin…

La fin…

★ ★ ★

Je me redressai brusquement dans mon lit.

Mon cœur battait à tout rompre. Qu'est-ce que c'était que ça ? Un nouveau rêve ?

Il fallait que je parle au docteur Carmichael. Elle m'avait laissé son numéro, mais je ne m'en étais jamais servi, sauf pour prendre rendez-vous. Elle m'avait clairement précisé qu'elle ne le donnait qu'en de très rares occasions. Je devais faire partie de ces cas exceptionnels.

J'avais fait tant de progrès… J'avais tout raconté à Jade et elle ne m'avait pas quitté. Je devais aller jusqu'au bout. Et je n'y parviendrais jamais si je continuais à faire d'horribles cauchemars comme celui-ci. Je consultai mon portable. Dix heures et demie. Il n'était pas trop tôt pour appeler.

Je composai le numéro du docteur Carmichael.

— Bonjour, Melanie à l'appareil.

— Bonjour. C'est… Tallon. Tallon Steel.

— Oui, Tallon, j'ai reconnu votre numéro. Vous voulez prendre un rendez-vous aujourd'hui ?

— Non. Je me demandais plutôt si vous étiez disponible pour me parler maintenant.

— Bien sûr. Tout va bien ?

— Oui. Enfin, non, mais ça va. Je ne vais pas tenter de me suicider ni faire une bêtise. Je suis simplement en panique.

— Dites-moi ce qui se passe.

— Hier soir, j'ai tout raconté à Jade.

— Je vois. Comment cela s'est-il passé ?

— C'était… difficile. Bon, je m'y attendais. Mais c'était quand même éprouvant.

— Comment l'a-t-elle pris ?

— Elle a pleuré, j'ai pleuré. Mais on s'en est remis.

— Et cela n'a rien changé pour elle, n'est-ce pas ?

Je soupirai.

— Non.

— Est-ce que c'est de cela que vous souhaitiez me parler ?

— Non. Je viens de faire un rêve franchement flippant.

Tandis que je racontais mon rêve au docteur Carmichael, un frisson me parcourut la peau.

— Il était différent de tous les autres rêves que j'ai faits jusqu'ici. Je ne vois vraiment pas pourquoi je l'ai fait cette nuit, juste après avoir tout raconté à Jade.

— Eh bien, Tallon, vous avez toujours réussi à protéger tout le monde. Tout le monde à part vous. Maintenant que vous avez trouvé quelqu'un qui compte plus que tout à vos yeux, vous avez peur de ne pas pouvoir la protéger.

— Ça ne peut tout de même pas être aussi simple.

— Les rêves ne sont jamais simples. Mais c'est la première conclusion qui me vienne à l'esprit. Vous pouvez venir au cabinet, si vous le souhaitez, et nous pourrons faire une séance d'hypnose guidée. Nous obtiendrons peut-être davantage d'informations.

— Non, je ne préfère pas. Pas aujourd'hui, en tout cas. Je crois que ça m'a simplement surpris. Je me suis réveillé en nage.

— C'est compréhensible. Les rêves sont souvent une manifestation de nos peurs, des peurs parfois inconscientes. Et la vôtre est tout à fait légitime.

— Mais elle a confiance en moi, Doc. Elle compte sur moi, bordel.

— Bien sûr. Et elle a raison. Vous êtes digne de confiance.

— Et si je suis incapable de la protéger ?

— Malheureusement, rien n'est garanti dans la vie, Tallon. Mais vous n'avez pas de raison de douter. Vous l'avez protégée face à son ex, non ? Même s'il ne représentait pas une menace. Et si elle se retrouvait face à une véritable menace, vous feriez tout ce qui est en votre pouvoir pour la protéger. Vos pieds ne seraient pas pris dans des sables mouvants. Ce n'était qu'un rêve.

J'eus soudain le sentiment d'être un parfait idiot.

— Ces rêves cesseront-ils un jour ?

— Peut-être jamais complètement. Mais je suis convaincue qu'ils se feront de plus en plus rares. Et avec le temps, ils ne vous perturberont plus autant. Rien qu'aujourd'hui, il ne m'a fallu que quelques minutes pour vous apaiser. Cela n'aurait jamais suffi il y a trois mois.

Je ne pouvais pas la contredire.

— D'accord. Je crois que ça va mieux. Merci d'avoir pris le temps de me parler, Doc.

— Je serai toujours là pour vous, Tallon. Tant que vous aurez besoin de moi.

Je savais qu'elle était sincère.

Tout comme Jade.

Alors que je lui disais au revoir et raccrochais, Jade déboula dans ma chambre, Roger sur les talons.

— Tallon, Dieu merci, tu es réveillé. Lève-toi, vite.

— Que se passe-t-il, yeux d'azur ?

— Je viens d'avoir Wendy Madigan au téléphone.

Wendy Madigan ? Un nom surgi du passé. Comment Jade pouvait-elle la connaître ?

— Wendy ?

— Oui.

— Comment se fait-il que tu la connaisses ?

— J'ai trouvé son nom à la fin d'un article de ce journal local qui parlait de tes actes héroïques quand tu es revenu d'Irak.

D'accord. Mais ça ne m'aidait pas à comprendre la raison de ce coup de fil.

— Je t'expliquerai tout plus tard. Il faut qu'on agisse vite. Tu avais raison, Tallon. Larry Wade était bien l'un des trois hommes qui t'ont enlevé.

# Chapitre 31

JADE

Il ouvrit des yeux ronds comme des soucoupes, mais resta silencieux. En fait, pendant quelques minutes, il eut presque l'air catatonique. Alors que je commençais vraiment à m'inquiéter, il cligna finalement des yeux.

— Quoi ?

Je m'assis à côté de lui sur le lit et pris sa main tremblante dans la mienne.

— Je suis en contact avec Wendy depuis un moment. Quand j'ai trouvé son nom sur l'article parlant de toi, j'ai pensé qu'elle avait peut-être des informations, ce qu'elle m'a confirmé. Aujourd'hui, elle a décidé de me les donner.

Il déglutit.

— Pourquoi aujourd'hui ?

— Elle avait le sentiment d'être engagée vis-à-vis de toi et de ta famille. Elle refusait de me divulguer des informations tant que tu ne m'aurais pas tout raconté.

— Elle t'avait dit qu'il m'était arrivé quelque chose ?

J'opinai.

— Mais ne lui en veux pas, Tallon. Tu me l'avais déjà dit toi-même, tu te souviens ?

Il considérait l'espace devant lui sans prononcer un mot.

— Tallon ? Tu comprends ce que ça signifie ? Nous pouvons le faire arrêter. Un de tes ravisseurs devra répondre de ses actes devant la justice.

Il secoua la tête, clignant les paupières comme pour s'éclaircir les idées.

— Nous ignorons où il se trouve.

— D'après Wendy, il est propriétaire d'un terrain dans le Montana. On va partir de là. Mais franchement, ce serait stupide de sa part d'y être allé.

— Et si ça ne donne rien ?

— On met la police sur le coup. On engage les meilleurs détectives privés du pays. Pour une fois, tu n'es pas content que l'argent ne soit pas un problème ?

De nouveau, le silence.

Qu'est-ce qui lui arrivait ?

— Bébé, ce sont de bonnes nouvelles. Une fois que nous aurons trouvé Larry, nous pourrons obtenir de lui l'identité des deux autres. Mettons-nous au boulot. Allons chercher Jonah, Ryan et Marj, et commençons les recherches. Non seulement tu as les moyens de financer une enquête de grande envergure, mais en plus il se trouve que la femme que tu aimes est actuellement le procureur suppléant de Snow Creek. J'ai accès à toutes les bases de données. Nous le retrouverons, Tallon. Nous allons lui mettre la main dessus.

Il continuait à regarder droit devant lui.

— Quel est le problème ? Je ne comprends pas.

Lentement, méthodiquement, il secoua la tête.

— Je n'arrive pas à y croire. Je veux dire, je voulais me persuader que j'avais identifié deux de mes ravisseurs, mais au fond de moi, dans la partie objective de mon cerveau, je savais que c'était peu probable.

Il se tourna vers moi, le visage insondable.

— C'est vraiment la fin de tout ça ?

M'emparant de sa main, je lui massai la paume avec mon pouce.

— Rien ne peut effacer ce que tu as subi, mais nous pouvons au moins retrouver l'un d'entre eux et le traduire en justice.

Encore une fois, ce silence.

— Tu devrais être fou de joie. Qu'est-ce qui ne va pas ?

Au bout d'un moment, il finit par répondre.

— C'est juste…

Il passa une main dans ses cheveux en bataille.

— Je ne sais pas comment l'exprimer. Comment te faire comprendre.

Je continuai de frotter sa paume avec mon pouce, désireuse de lui apporter du réconfort. Je ne savais absolument pas ce qui le dérangeait, mais je voulais qu'il sache que j'étais là pour lui. Que je ne le laisserais pas tomber. Jamais.

— Tu peux tout me dire. Tu sais que je comprendrai.

Il prit une profonde inspiration.

— Toutes ces années, j'ai vécu avec cette horreur et jusqu'à récemment, il ne m'était même pas venu à l'idée d'essayer de panser mes blessures. Et maintenant, grâce à toi, j'ai finalement trouvé une raison d'aller de l'avant. Et à travers toi, j'ai trouvé encore d'autres raisons, mes frères, ma sœur, mon ranch, moi. Et je commence. Je vais de l'avant.

— Oui, et c'est super. Alors, qu'est-ce qui te chagrine ?

— Je ne sais pas trop. Je ne suis pas sûr de pouvoir l'expliquer avec des mots. Mais en retrouvant l'un d'entre eux, en enterrant une partie de l'histoire… eh bien ça n'existe plus. Cette partie de ma vie n'existe plus.

— Et c'est une mauvaise chose ?

Il secoua la tête.

— Je t'avais dit que tu ne comprendrais pas.

— Laisse-moi une chance. Parle-moi, Tallon.

— C'était une horreur. Aucun enfant – merde, aucun être vivant – ne devrait vivre ce que j'ai vécu. Mais c'était une partie de ma vie. C'était à moi. Une chose atroce, monstrueuse, horrible. Mais ça m'appartenait.

Je lui étreignis la main. J'avais envie de le prendre dans mes bras pour le réconforter, mais je n'étais pas certaine que c'était ce qu'il lui fallait en cet instant.

— Pourquoi veux-tu t'accrocher à tout ça, Tallon ?

— Ce n'est pas ce que je veux. En tout cas, je ne crois pas. Je t'ai dit que c'était difficile à expliquer. Mais cela fait partie de moi depuis si longtemps.

— Ça fera toujours partie de toi. Ça fera toujours partie de ce qui a fait de toi l'homme que tu es aujourd'hui. Et je trouve que tu es un homme exceptionnel.

— J'essaie, yeux d'azur. J'essaie vraiment.

— Je sais. C'est quelque chose qui t'a été imposé. Et tu as dû le supporter seul pendant si longtemps. Mais tu n'es plus seul, Tallon. Je suis là pour toi. Tes frères sont là pour toi. Marjorie est là pour toi. Les six personnes que tu as sauvées en Irak sont toutes là pour toi. Les centaines d'employés de ce ranch qui comptent sur toi pour gagner leur vie – ils sont tous là pour toi. Tu as des tas de gens derrière toi, prêts à faire n'importe quoi pour toi.

— Est-ce qu'il est possible que ce soit vraiment – je veux dire vraiment – fini ? Fini pour de bon ?

Mon merveilleux Tallon chéri. Il avait supporté si longtemps ce fardeau.

— C'était déjà fini il y a vingt-cinq ans, bébé. Tu étais libre depuis tout ce temps. Mais tu ne le savais pas. Il est temps pour nous de prendre les choses en main, de traduire ces criminels en justice. Et maintenant, nous en avons la possibilité. Alors, mon amour, le moment est venu.

Les yeux embués de larmes, il se tourna vers moi et hocha la tête.

— Il est temps de laisser tout ça derrière moi.

★ ★ ★

Sans surprise, Larry n'était pas dans le Montana, mais grâce à l'argent des Steel et à une équipe de détectives privés, grâce aussi à l'action de la police locale et de la police d'État, il fut arrêté trois jours plus tard dans le sud du Nouveau-Mexique. Il avait pris un pseudonyme et travaillait dans une ferme productrice de piments, dans l'espoir de gagner suffisamment d'argent pour passer la frontière.

Et dans ses affaires personnelles, ils trouvèrent le portefeuille et le téléphone de Colin.

C'était ce dégénéré qui m'avait appelée avec le portable de Colin.

Ramené par les autorités à Grand Junction, il était désormais sous les verrous, dans la prison du comté, où je l'attendais derrière la vitre du parloir. J'avais dit à Tallon que j'y allais et lui avais proposé de m'accompagner, mais il avait préféré décliner. C'était sans doute aussi bien. Je n'étais pas sûre qu'il aurait été capable de se contenir. J'avais presque dû l'attacher – avec l'aide de Jonah et Ryan – pour l'empêcher d'aller chercher Larry lui-même.

Je ne savais pas ce que j'allais dire à ce dernier. Que pouvait-on dire à un être aussi déséquilibré ? Il avait très certainement aussi tué Colin, mais en l'absence de corps, le meurtre serait difficile à prouver. Je ne pouvais pas espérer le raisonner. Un psychopathe était sourd aux arguments rationnels. Je devais pourtant essayer. L'avocat général lui avait proposé un marché s'il donnait les noms des deux autres, et j'étais là pour le convaincre de l'accepter.

Quand un gardien le fit entrer, vêtu d'une combinaison orange, il était menotté et avait des chaînes aux pieds. Ses cheveux clairsemés étaient en désordre et il avait l'air fatigué. Il s'assit et prit le combiné.

— Jade. Vous êtes ici pour me représenter ?

Les yeux me sortirent presque de la tête. J'avais bien entendu ?

— Je suis le procureur suppléant, Larry. Même si je le voulais, je ne pourrais pas vous représenter. Et je ne pense pas que le maire verrait d'un bon œil que je défende mon ancien patron qui se trouve accusé de sévices sexuels sur un enfant.

Il poussa un soupir.

— Vous seriez surprise de savoir de quoi le maire est capable.

— Ce qui ne devrait pas me surprendre, c'est de quoi *vous* vous êtes montré capable, Larry. J'aurais dû m'en douter avec votre sens de l'éthique plus que douteux. Mais je n'aurais jamais imaginé que vous puissiez être un criminel aussi pervers.

— C'est parce que je ne suis pas un criminel pervers, Jade.

J'éclatai de rire. Impossible de me retenir.

— Vous savez que nous détenons largement de quoi vous inculper.

— Je n'ai rien à voir avec la disparition de cet autre type. Je ne sais pas comment ses affaires se sont retrouvées en ma possession. Pour le reste, je l'ai fait sous la contrainte. J'ai tout raconté à la police. Ils m'ont proposé un marché si je donne les noms des deux autres.

— Premièrement, vous n'avez pas été forcé. Vous êtes un pédophile, Larry. Si vous aviez vraiment agi sous la contrainte, vous n'auriez pas pris votre tour comme les deux autres.

— C'est comme je vous le dis, ils m'y ont obligé.

— Ils vous ont obligé à bander pour un petit garçon ? Ben voyons.

Cette conversation n'avait déjà que trop duré.

— Écoutez, je ne suis pas là pour argumenter. Je sais exactement ce que vous avez fait. Tallon m'a tout raconté. Je suis ici pour vous demander d'accepter ce marché. Je veux que les deux autres soient traduits en justice.

Larry secoua la tête.

— Je ne peux pas.

— Pourquoi ? Vous irez en prison dans tous les cas. Vous redoutez des règlements de compte ?

— Je ne les dénoncerai pas. Ils feraient la même chose pour moi.

— Vraiment ? Vous croyez ça ? Vous venez de me dire qu'ils vous avaient contraint. Et ce ne sont pas eux qui vous ont passé à tabac quand vous avez aidé Tallon à s'échapper ?

Ses yeux s'éclairèrent.

— C'est vrai. J'ai aidé le garçon à s'échapper. Je ne mérite pas un peu de compassion pour ça ?

— Seigneur. Ce n'était pas un enfant parmi tant d'autres. C'était immonde de toute façon, mais il était votre neveu, pour l'amour du ciel.

Les lèvres de Larry tremblèrent.

— Il n'était pas censé se trouver là. Quand les deux autres l'ont ramené, je les ai suppliés de le laisser partir.

— Vous ne faisiez donc pas partie de ceux qui étaient dans le cabanon ce jour-là avec Luke Walker ?

Il secoua la tête.

— Non. C'étaient les deux autres. Quand ils l'ont ramené et que je l'ai reconnu, je leur ai dit qu'il fallait le relâcher. Que les Steel étaient des gens importants.

— Larry, sifflai-je entre mes dents, dites-moi qui ils sont, putain de merde.

— Je ne peux pas. Ils me tueront.

— Nico Kostas est-il l'un d'entre eux ?

Larry resta impassible. J'étais incapable de déchiffrer son expression, alors que j'étais plutôt douée pour ça. Il ne changerait pas d'avis.

— Bon, je perds mon temps.

Je fis mine de raccrocher le combiné, mais Larry leva une main.

— Jade, attendez.

Je rapprochai l'appareil de mon oreille.

— Quoi encore ?

— Ils l'ont gardé captif un peu moins de deux mois. Quand j'ai compris qu'il n'en avait plus pour longtemps, j'ai commencé à le nourrir davantage. J'étais chargé de lui apporter à manger. Je n'étais qu'un laquais, Jade. Rien de plus.

— Un laquais qui abusait sexuellement d'un petit garçon. Un innocent petit garçon. Votre neveu.

— Je le regrette, Jade. Je regrette tout ce qui s'est passé.

— Vous croyez que ça change quelque chose pour moi ? Pour Tallon ? Pour ses parents, puissent-ils reposer en paix ?

— Brad et Daphne m'ont pardonné. Ils ne m'ont pas livré à la police. S'ils ont accepté de me laisser partir…

— Brad et Daphne sont morts. Daphne s'est suicidée parce qu'elle ne pouvait pas supporter ce que vous aviez fait à son fils. Elle a laissé des orphelins. La dernière n'a aucun souvenir de sa mère. Tallon avait besoin de sa mère, Larry. Et à cause de vous, il en a été privé.

— Pouvez-vous me laisser me justifier, s'il vous plaît ?

— Et comment comptez-vous justifier ça ? Justifier votre perversité ?

— Tallon n'aurait jamais dû être kidnappé.

— Et vous croyez que ça vous dédouane ? Que faites-vous des six autres enfants ?

— Je n'ai rien à voir avec ce qui leur est arrivé.

— Vous pensez que je vais vous croire ? Personne ne vous croira, Larry.

— Jade, j'ai permis à Tallon de s'enfuir. Tallon est vivant grâce à moi.

— Cette conversation est terminée.

Il se leva une nouvelle fois, m'enjoignant de l'écouter d'un geste de la main.

— Ça ne compte pas pour vous ? Qu'il soit vivant grâce à moi ? Ils ont tué tous les autres. Ils les ont découpés en morceaux. C'était monstrueux. Je vous le dis, monstrueux.

— Je sais. À l'exception de l'unique cadavre qui a été découvert. Je sais ce qu'ils ont fait aux autres parce que Tallon me l'a dit. Ils l'ont obligé à regarder quand ils ont taillé Luke Walker en pièces. Ils ont forcé un enfant de dix ans à assister à ce carnage.

— Je… Je n'ai rien à voir avec ça.

— Désolée, je n'y crois pas. Vous trempiez là-dedans jusqu'au cou autant que les deux autres. Rendez-vous ce service, donnez-nous leurs noms.

Il secoua la tête.

— Ils me tueront.

En ce qui me concernait, ce n'était pas un argument. Si Larry finissait les pieds devant, je m'en fichais totalement.

— Je dois vous dire, Larry. Vous avez de la chance d'être sous les verrous. Si vous étiez dehors, Tallon et ses frères vous régleraient vite fait votre compte.

— Les Steel. Ils se croient tout permis.

— Vous vous écoutez parler, de temps en temps ? Vous voulez leur pardon et vous parlez d'eux en ces termes ?

— Je suis… désolé. Juste… S'il est vivant, c'est vraiment

grâce à moi, Jade. J'ai mis de la drogue dans sa nourriture et je l'ai laissé s'échapper. Quand il a perdu connaissance, je lui ai mis des vêtements et je l'ai conduit de nuit à une demi-heure environ de son ranch. Je savais que quand il se réveillerait, quelqu'un le trouverait. Et c'est ce qui s'est passé. Il est vivant. Il a pu devenir un homme. Grâce à moi.

— À cause de vous, Larry, il n'a jamais été capable de laisser ça derrière lui. Toute cette histoire a été balayée sous le tapis parce que vous avez refusé de dénoncer les autres, et parce que Brad et Daphne ont pris la décision de vous laisser vous en tirer.

— Ils m'ont laissé m'en tirer parce que j'ai sauvé leur fils. J'ai dû quitter l'État.

Les cinq millions de dollars. *Bien sûr.*

— Ils vous ont payé, c'est ça ? Ils vous ont donné une partie de leurs millions pour que vous quittiez le Colorado, loin de leurs enfants.

— Non, non. Ils ne m'ont rien donné. Mais oui, ils m'ont obligé à partir. Ils ont dit qu'ils me feraient arrêter si je ne disparaissais pas très loin d'ici.

*Menteur.* Il faudrait que j'interroge Wendy à propos de ce virement. Bien entendu qu'ils avaient payé Larry. Où aurait pu aller cet argent ?

— Je ne vous crois pas.

— J'ai quitté la région. Je ne suis revenu qu'après la mort de Brad. J'étais fauché. Fauché comme les blés. Ma femme m'avait quitté. J'avais besoin d'un boulot, alors le maire m'a nommé procureur municipal. J'ai été un bon procureur, Jade.

Je ne pris même pas la peine de lui répondre. Ce type délirait complètement.

— Je vous en prie, Jade. Brad et Daphne ont fait le choix de me laisser m'en tirer.

— Je ne pense pas que Tallon soit aussi disposé que ses parents au pardon. Et je peux vous affirmer que moi non plus. Alors, sauf si vous me dites qui étaient les deux autres, je m'en vais et je vous verrai au tribunal.

Larry se frotta le front.

— Je regrette. Je ne peux pas faire ça.

Je raccrochai le téléphone, tournai les talons et quittai le parloir.

# Chapitre 32

## TALLON

— Au chemin qui s'ouvre à nous ! lança Jonah en levant son verre de vin rouge.

J'étais assis à l'une des tables sur notre somptueuse terrasse, entouré des quatre personnes qui m'étaient les plus chères au monde.

Mon frère aîné, si fort, si solide, toujours prêt à endosser les responsabilités et à tous nous protéger coûte que coûte. Ne pas avoir été capable de me protéger ce jour-là le hantait encore, même si je l'avais supplié de cesser de se sentir coupable. D'aller de l'avant. Peut-être ce toast signifiait-il qu'il s'y sentait finalement prêt.

Mon frère cadet, celui qui me suivait partout quand nous étions gamins. Il me tapait royalement sur les nerfs, mais il tenait toujours à glisser sa petite main dans la mienne et à m'accompagner où que j'aille. J'étais tellement heureux qu'il ait pu se sauver, ce jour-là. Parce que je l'avais protégé en lui ordonnant de courir, j'étais son héros à jamais. Il me soutiendrait quoi qu'il arrive. Mais lui aussi devait tourner la page, comme Joe et moi.

Ma petite sœur, qui m'avait sauvé à sa façon. Quand j'étais revenu à la maison, elle sortait tout juste de la maternité. Elle était si prématurée que personne ne donnait cher de sa peau, mais la petite

Marjorie était forte. Forte comme un bœuf. Si belle et innocente. Une minuscule poupée de porcelaine qui avait fait fondre mon cœur dès que j'avais posé les yeux sur elle. À l'époque, elle était pour moi l'unique preuve qu'il restait encore du bon dans ce monde. J'aurais fait n'importe quoi pour elle, et c'était encore le cas aujourd'hui.

Et Jade. Mon adorable Jade, dont la mère était en voie de guérison, et avec qui elle faisait progressivement la paix. Elle combattait ses propres démons, mais cela ne l'avait pas empêchée d'être là pour moi depuis son arrivée à Snow Creek. Au début, j'avais tout fait pour la repousser, mais je n'avais pas eu la force de la laisser partir. Quand bien même j'aurais réussi, elle serait revenue à la charge car elle n'avait pas l'intention de renoncer à moi. Grâce à elle, j'avais enfin pris conscience que je voulais vivre. Pas seulement exister, mais vivre, profiter de la vie, m'attacher à quelqu'un. La vie ne serait jamais facile pour moi, mais avec Jade, je m'en sortirais. Si je commençais à sombrer, elle m'aiderait à sortir la tête de l'eau.

Et je ferais la même chose pour elle.

Elle était l'amour de ma vie. C'était si bon d'avoir enfin des projets.

Je levai mon verre en même temps que les autres et nous répétâmes d'une seule voix :

— Au chemin qui s'ouvre à nous.

Marjorie et Felicia nous avaient concocté un véritable festin : un filet de bœuf rôti accompagné d'une sauce aux pêches fraîches de notre verger, de brocoli-rave, de purée de pommes de terre parfumée à l'ail et à la coriandre, et d'un ragoût de champignons des bois. La table était décorée de trois vases remplis de roses multicolores que Marj avait achetées chez le fleuriste en ville. Mes frères et sœurs souriaient. Jade était assise à côté de moi et me serrait tendrement la cuisse de temps à autre, lorsque je ne parlais plus, pour me faire savoir qu'elle était là.

Qu'elle serait toujours là.

Il ne fut pas question de Larry Wade, ni de son refus de dénoncer les deux autres. En fait, nous n'abordâmes aucun sujet sérieux. Il y eut surtout des rires, quelques larmes, et la volonté partagée d'aller de l'avant.

Pendant un instant de calme, je me tournai vers Jade.

— Yeux d'azur ?

— Oui ?

— J'aimerais que tu reviennes t'installer ici. S'il te plaît.

Elle se mordit la lèvre.

— Oh, oui, je t'en prie Jade. Dis oui ! renchérit Marjorie.

Ses lèvres magnifiques s'étirèrent en un sourire, ce fameux sourire qui, à lui seul, guérissait tous mes maux.

— Très bien. Je serais ravie de revenir habiter ici. C'est ce que j'ai toujours voulu, mais j'attendais le bon moment.

Nous trinquâmes à nouveau tandis que Felicia nous servait un crumble aux pêches tout juste sorti du four, surmonté de glace à la vanille.

Il existait un mot pour décrire le sentiment que j'éprouvais en cet instant, un mot que je n'avais pas utilisé pour me définir depuis des années.

J'étais *heureux*.

★ ★ ★

Plus tard, j'emmenai ma belle Jade au lit et la laissai me dévêtir.

— Ce soir, je veux m'occuper de toi, dit-elle.

Je souris.

— D'accord, à condition que tu sois nue.

Elle pouffa d'un rire adorable.

— Très bien, condition acceptée.

Elle se déshabilla plus vite que je l'aurais souhaité. Mais au fond, quelle importance ? Le résultat était le même.

— Allonge-toi sur le dos, bébé, que je puisse vénérer ton corps d'Apollon, dit-elle avec un sourire.

Je bandais déjà pour elle. J'aurais pu la prendre sur-le-champ, prêt à recommencer en un rien de temps.

— Chevauche-moi d'abord, ordonnai-je. J'ai besoin d'être en toi.

Elle secoua la tête, le regard malicieux.

— Oh non, pas cette fois. C'est toujours toi qui décides, au lit. Ce soir, c'est mon tour.

Une pointe d'angoisse me saisit. Je n'étais pas à l'aise dans le rôle du soumis. Elle le savait très bien. Je l'empoignai et l'attirai sur moi pour l'embrasser passionnément et lui rappeler qui était le maître dans cette chambre.

Ce baiser nous laissa tous les deux pantelants, mais elle ne céda pas pour autant.

— S'il te plaît, Tallon. Laisse-moi m'occuper de toi.

Je ne pouvais rien lui refuser. J'acceptai, même si la situation me mettait mal à l'aise.

— Détends-toi, dit-elle. Tu sais que je ne te ferais jamais de mal.

Lorsque ses lèvres douces effleurèrent la peau sensible de mon cou, mes muscles se dénouèrent et je lâchai prise. Elle sema des baisers sur mes épaules, puis descendit le long de mon bras, jusqu'à ma main, qu'elle massa tout en embrassant chacun de mes doigts. Une fois qu'elle eut répété ses baisers sur mon autre bras, elle caressa mon torse de sa langue avant de me lécher un téton, qui se durcit à son contact. Tandis qu'elle passait à l'autre, ma queue était au garde-à-vous.

Elle poursuivit sa descente, embrassa mon bas-ventre, enfouit son nez dans ma toison, qu'elle inhala.

— Mon Dieu, tu sens si bon, Tallon.

— Suce-moi, bébé. S'il te plaît.

Elle leva la tête et croisa mon regard.

— J'y viendrai, dit-elle avec un sourire.

J'étais sur les nerfs, à deux doigts de perdre la raison. J'empoignai la couette pour me retenir de la prendre, de la retourner et de la baiser jusqu'à lui faire tout oublier.

De ses mains et de sa bouche, elle me massa les cuisses, puis descendit sur mes mollets, mes pieds, mes orteils, avant de remonter. Elle m'écarta les jambes et me releva les cuisses.

Je me crispai.

— Là, dit-elle. Laisse-moi faire.

Elle m'embrassa l'intérieur des cuisses et les fesses, puis déposa de minuscules baisers sur mes testicules contractés, prêts à exploser à tout moment.

Enfin, elle prit ma queue dans sa bouche tout en faisant lentement glisser son doigt le long de ma raie.

Jusqu'à ce qu'elle trouve l'endroit qu'elle cherchait.

Je sursautai.

— Là, répéta-t-elle. Laisse-moi faire. Aie confiance.

J'avais confiance en elle, mais la tension m'envahissait.

Sa bouche abandonna mon sexe, et elle commença à me branler. Elle porta l'autre main à sa bouche et l'enduisit de salive, avant de la ramener d'où elle venait.

J'étais toujours tendu, toujours effrayé.

Mais sa voix douce résonna de nouveau.

— Reprends-le, Tallon. Reprends ton corps. Il ne leur a jamais appartenu. Il est à toi, et à moi.

Elle introduisit délicatement un doigt dans mon anus.

Je retins mon souffle.

— Doucement, murmura-t-elle. Franchir le sphincter est l'étape la plus difficile.

J'avais prononcé ces mêmes mots à son intention.

Sa voix m'apaisa et je laissai mes muscles se détendre. Je me sentais soudain déterminé, déterminé à lui obéir, à me réapproprier mon corps, à m'abandonner au plaisir.

— Laisse-toi aller. Lâche prise, dit-elle.

Je relevai la tête, gardant les yeux ouverts de façon à la voir, à m'assurer que c'était bien elle.

J'avais besoin de cette certitude.

Elle s'enfonça plus loin, sans cesser de faire coulisser sa main tout le long de ma queue.

Je bandais toujours aussi dur. Je brûlais d'envie de la posséder.

Enfin, tandis qu'elle me dévorait de ses yeux bleu métallique, caressant diverses zones de mon corps de ses mains douces, je commençai à me détendre.

Et à éprouver du plaisir.

— Voilà, dit-elle. C'est moi. Toujours moi. Personne d'autre. Et je t'aime. Je t'aime si fort.

Je cessai de respirer et je m'enfonçai dans les oreillers, fermant les paupières.

Sa bouche remplaça sa main sur mon sexe tandis qu'elle poursuivait ses va-et-vient dans mon rectum.

Oh, mon Dieu. C'était si bon.

Lorsque mes testicules se contractèrent, saisis de minuscules convulsions, je poussai un grognement.

— Je vais éjaculer, bébé. Je veux que tu avales tout. Avale-moi, bébé. Je suis à toi.

Alors, tandis que j'atteignais l'orgasme et qu'elle lapait toute mon essence, je lâchai *enfin* prise.

★ ★ ★

Le lendemain matin, nous nous réveillâmes côte à côte dans ma chambre baignée de soleil, Roger pelotonné aux pieds de Jade.

Elle leva les yeux vers moi lorsque je caressai sa joue soyeuse.

— Ça va ? demanda-t-elle.

— On ne peut mieux. C'est la première fois qu'on passe une nuit entière ensemble.

Elle sourit.

— Et on n'a eu aucune mauvaise surprise.

Je pressai doucement mes lèvres sur les siennes.

— Désormais, nous dormirons ensemble, dans mon lit – notre lit – toutes les nuits.

— Je ne demande que ça.

Elle ferma les yeux, laissant échapper un soupir.

L'un des bouquets que Marj avait apportés hier était posé sur ma table de chevet. Je choisis une rose rouge et effleurai du bout des pétales délicats ses joues, ses lèvres.

— Hmm, soupira Jade en ouvrant les yeux. C'est agréable. J'adore les roses. Même le soir où tu m'as virée du ranch, j'étais sûre que je finirais par revenir. Je savais que tu avais des sentiments pour moi. Grâce à la rose que tu avais déposée sur mon oreiller.

Je sursautai, lâchant la fleur sur le lit à côté de Jade. Mon pouls s'accéléra.

— Quoi ?

Elle se redressa.

— Qu'est-ce que j'ai dit ?

— De quoi parles-tu, yeux d'azur ?

— Le lendemain matin, quand tu m'as demandé de quitter le ranch. Tu as laissé une rose sur mon oreiller.

Je déglutis, le cœur battant la chamade.

— Bébé, je t'aime. Mais ce n'est pas moi qui ai laissé une rose sur ton lit ce matin-là.

# Épilogue

## Jonah

Cela faisait deux ou trois ans que je n'avais pas revu Bryce Simpson et son appel me surprit. Il était parti à Las Vegas pour épouser une femme qu'il connaissait depuis moins d'un mois. Il avait mon âge, trente-huit ans, et, comme moi, avait été toute sa vie un célibataire endurci. Il revenait maintenant à Snow Creek rendre visite à ses parents – le maire et sa femme. Et puis, il avait un petit garçon, un bébé de neuf mois.

J'étais installé chez Rita devant une tasse de café quand il me rejoignit, son jeune fils dans les bras.

Je me levai pour l'accueillir.

— Bryce, je suis vraiment heureux de te revoir, mon pote.

Je lui donnai une accolade.

— Regarde-moi ce petit bonhomme.

Le petit garçon était adorable, les cheveux blond très clair et les yeux bleus. Les cheveux blonds de Bryce étaient semés de fils d'argent.

— Ta femme n'est pas là ?

— On s'est séparés.

— Oh ? Désolé de l'apprendre.

Mais je n'étais pas surpris. J'avais toujours pensé que ça ne ressemblait pas à Bryce de mettre les voiles à Vegas avec une fille qu'il connaissait à peine.

— Oui, c'était une erreur. Mais j'ai gagné Henry. Elle ne voulait pas la garde. En fait, c'est à peine si elle honore son droit de visite.

— Tu es devenu un père célibataire, alors ?

— Ce n'était pas au programme. En fait, j'ai toujours cru que je n'aurais pas d'enfant. Mais maintenant que ce petit homme est là, je ne sais pas comment j'ai pu m'en passer si longtemps. Et toi, tu penses à te caser ?

Ah, si ce n'était pas LA question. Pendant tellement longtemps, à cause de mon sentiment de culpabilité, je n'avais pas voulu m'engager dans une relation à long terme. Mais aujourd'hui, vingt-cinq ans après les faits, mon frère Tallon laissait derrière lui les blessures de l'enlèvement qu'il avait subi à l'âge de dix ans, qui nous avait affectés tous les deux, ainsi que notre benjamin, Ryan.

Tallon avait désormais une petite amie et ils allaient sans doute se marier prochainement. S'il était capable d'aller de l'avant, de s'engager dans une relation, de fonder une famille, le moment était peut-être venu pour moi d'en faire autant. Alors que je regardais Bryce et son petit garçon, j'éprouvai une aspiration qui était nouvelle pour moi.

— Sincèrement, non. Je n'y ai jamais pensé pendant toutes ces années. Mais qui sait ? Je rencontrerai peut-être une femme qui voudra bien d'un vieux cow-boy comme moi.

— Un cow-boy plus riche que Crésus ? Elles doivent se bousculer au portillon.

Bryce éclata de rire.

Je ne voulais pas d'une fille qui en avait après mon argent. J'en avais vu suffisamment défiler au cours de ma vie. Mais je ne cracherais pas sur une relation comme celle que partageaient Tallon et Jade.

— Tu crois qu'il voudra bien que je le prenne un peu dans mes bras ? demandai-je à Bryce, montrant Henry d'un signe de tête.

— Oh oui, pas de souci. Il n'est pas sauvage du tout.

Il me tendit le bébé.

Henry gazouilla et je l'assis sur la table devant moi tout en le tenant fermement. Il me fit un grand sourire sans dents. C'était un enfant plein de vie, qui ressemblait beaucoup à son père. Ses petites mains dans les miennes, je remarquai une tache de naissance sur son bras.

— Je n'ai pas le souvenir que tu avais une tache de naissance. Il la tient de sa mère ?

Bryce secoua la tête.

— Non, plutôt de mon père. Il a exactement la même. De la forme de l'État du Texas.

# Remerciements

J'ai plusieurs fois versé des larmes pendant l'écriture de *Possession*. Pour tout vous dire, j'ai pleuré jusqu'ici à tous les tomes. J'espère très fort que vous avez aimé ce troisième volume de l'histoire de Jade et Tallon. Conduire Tallon au bout de ce chemin, où il a enfin été capable de laisser son passé derrière lui, s'est avéré à la fois un brise-cœur et un vrai bonheur. Et ne vous en faites pas ! Vous entendrez encore parler de Jade et lui.

Merci du fond du cœur à mes éditeurs incroyables, Celina Summers et Michele Hamner Moore. Vos accompagnements et suggestions m'ont été très précieux. Merci à Jenny Rarden, qui a relu mon texte en profondeur, et à mes correctrices, Angela Kelly et Claire Allmendinger. Merci à tous les gens géniaux de Waterhouse Press – Meredith, David, Kurt, Shayla, Jon et Yvonne. Les visuels des couvertures de cette série sont juste parfaits, grâce à Meredith et Yvonne.

Merci à mes ambassadrices, la team Hardt and Soul. Vous avez été les premières lectrices de *Possession*, et j'apprécie votre soutien, vos critiques et vos bonnes vibrations. Vous êtes les meilleures, les filles !

Merci à ma famille, qui est toujours là pour moi, à mes amis et à tous les fans qui attendaient impatiemment ce troisième livre. J'espère qu'il vous a plu.

Plongez-vous à présent dans l'histoire de Jonah, avec *Steel Brothers*, livre 4 : *Turbulence* !

# À propos de l'auteur

Helen Hardt est autrice de *best-sellers*, numéro 1 des ventes dans le classement du *New York Times*, de *USA Today* et du *Wall Street Journal*. Sa passion pour les mots est née avec les livres que sa mère lui lisait le soir pour l'endormir. Elle a rédigé son premier roman à l'âge de six ans et ne s'est plus jamais arrêtée d'écrire.

En plus d'être une autrice récompensée pour ses romances contemporaines, historiques et érotiques, Helen est également mère de famille, avocate, ceinture noire de taekwondo, fine connaisseuse de la grammaire et du bon vin et totalement accro aux crèmes glacées Ben & Jerry. Elle travaille chez elle, dans le Colorado, où elle vit avec sa famille. Helen adore échanger avec ses lectrices.

Retrouvez-la sur son site Internet (www.helenhardt.com) et sur les réseaux sociaux :

Retrouvez Helen Hardt sur HelenHardt.com

# Du même auteur

**Éditions Meredith**

*Steel Brothers* 1 : *Attraction*

*Steel Brothers* 2 : *Obsession*

*Steel Brothers* 4 : *Turbulence*

*Steel Brothers* 5 : *Effervescence*

*Steel Brothers* 6 : *Résilience*

**En anglais (États-Unis)**

*Steel Brothers* 1 : *Craving*

*Steel Brothers* 2 : *Obsession*

*Steel Brothers* 3 : *Possession*

*Steel Brothers* 4 : *Melt*

*Steel Brothers* 5 : *Burn*

*Steel Brothers* 6 : *Surrender*

*Steel Brothers* 7 : *Shattered*

*Steel Brothers* 8 : *Twisted*

*Steel Brothers* 9 : *Unraveled*

*Steel Brothers* 10 : *Breathless*

*Steel Brothers* 11 : *Ravenous*

*Steel Brothers* 12 : *Insatiable*

*Steel Brothers* 13 : *Fate*

*Steel Brothers* 14 : *Legacy*

*Steel Brothers* 15 : *Descent*


*Blood Bond* 1 : *Unchained*

*Blood Bond* 2 : *Unhinged*

*Blood Bond* 3 : *Undaunted*

*Blood Bond* 4 : *Unmasked*

*Blood Bond* 5 : *Undefeated*


*Misadventures of a Good Wife* (avec Meredith Wild)

*Misadventures with a Rock Star*

*Anthology Collection* : *Her Two Lovers*

*Anthology Collection* : *Destination Desire*

# La saga des frères Steel continue...
## *Steel Brothers, Livre 4 : Turbulence*

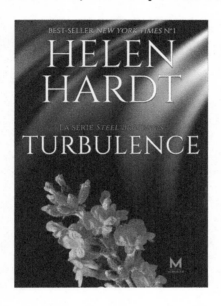

Jonah Steel est un homme riche, intelligent et dur à la tâche. En tant qu'aîné de la fratrie, il a été chargé par son père de veiller sur ses deux frères et sa sœur.

Et il a failli à sa mission de la pire des façons.

Le docteur Melanie Carmichael a son propre fardeau à porter. Alors que cette thérapeute renommée a été capable d'aider le frère cadet de Jonah, elle continue de se battre au quotidien contre le complexe de l'imposteur. Mais quand l'aîné des Steel vient à son tour la consulter pour guérir ses blessures, elle ne peut pas lui tourner le dos.

Tandis que Melanie et Jonah tentent de surmonter ensemble leurs problèmes, luttant de toutes leurs forces contre le désir qui bouillonne entre eux, des fantômes de leur passé refont surface… et le danger se rapproche.

Made in the USA
Coppell, TX
17 June 2022